SYLVIE LOUIS

DOMINIQUE ET

J'aime toujours commencer un nouveau cahier de mon journal intime. Les quatre premiers, je les ai inaugurés dans ma chambre, assise à mon bureau. Mais cette fois-ci, c'est dans un décor idyllique.

Dimanche 4 juillet

En effet, ce matin, je me prélasse sur une plage de sable fin. Devant moi, un lac étincelle sous le soleil. D'accord, il n'y a pas de palmiers à l'horizon. Et l'eau n'est pas turquoise. Bref, on se trouve au Québec, pas dans les Caraïbes où ma copine Jade passe ses vacances. La vue est tout de même splendide. Un peu plus loin, Caroline, ma sœur de 8 ans, sculpte une tortue dans le sable. Assise sous un parasol, maman note ses idées de recettes au tofu dans un carnet. Zoé, notre bébé chéri, fait une sieste sous la tente. Papa s'est proposé de rester avec elle : comme je le connais, il va en profiter pour faire un petit roupillon lui aussi ! Mais, si je commençais par le début…

Hier matin, donc, on est partis pour la Mauricie. Disons plutôt qu'on a *fini* par partir, car il s'agissait d'un véritable déménagement. Papa se demandait comment il réussirait à tout caser dans notre mini-fourgonnette. Tout, c'est-à-dire la tente, les sacs de couchage, les matelas de camping, le réchaud, la glacière, les deux caisses de nourriture, les casseroles, la vaisselle en plastique, le parasol, une valise, trois sacs de voyage, un volumineux sac de couches, le ballon de plage… Sans compter la cargaison de cochons en peluche de Caroline. Eh oui, Nouf-Nouf, Nif-Nif, Naf-Naf, Tire-Bouchon, Betty, Cochonnet, Rosie et Gudule étaient du voyage ! Papa a tenté de négocier avec ma sœur :

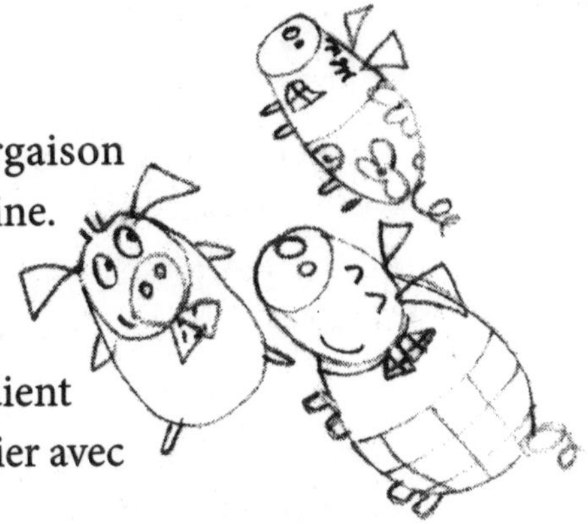

– Ça prendrait moins de place si, pour une fois, tu n'emportais que Nouf-Nouf.

Offusquée, Caro a rétorqué :

– S'il n'y a pas suffisamment d'espace pour mes cochons, je reste avec eux ! On ira chez madame Baldini !

Notre père a soupiré :

– Eh bien, ça promet, à l'adolescence…

En parlant de madame Baldini, la voilà qui arrivait. On n'avait plus vu notre gentille voisine depuis deux semaines. En effet, elle et son mari se trouvaient à Toronto, dans la famille de leur fils. Rosa Baldini nous a expliqué qu'ils étaient de retour depuis vendredi. Elle venait nous offrir un sac de biscotti aux amandes, sa grande spécialité. Ne voulant pas nous retarder, elle nous a souhaité de bonnes vacances. Finalement, Caroline a pris son sac plein de cochons sur ses genoux et on est partis. Le trajet a duré trois heures. Trois looongues heures, puisque l'humeur de Zoé s'est rapidement gâtée.

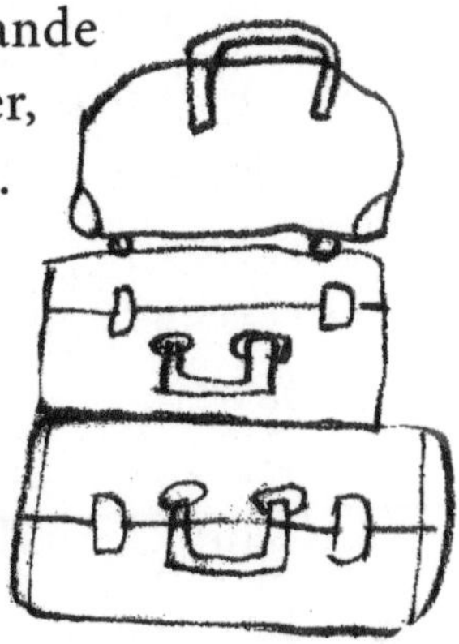

Je me suis rappelé le succès que j'avais un jour obtenu auprès de notre bébé chéri en prononçant le mot *pizza* de façon exagérée. Curieuse de voir si mon truc fonctionnait toujours, j'ai fait :

– La pizzza, la pizzza !

Zouzou s'est mise à rire aux éclats. Fière de moi, j'ai repris :

– La pizzza, la pizzza de *la mamma* ! La pizzza !

Et encore. Et encore. Tout à coup, papa a lancé :

– Ça suffit, Alice ! J'en ai plus qu'assez de cette pizza ! Elle va finir par me donner mal à la tête !

Zoé a recommencé à geindre. Caroline a chanté *Pourquoi les petits cochons ont-ils la queue en tire-bouchon ?* en agitant Tire-Bouchon et Rosie comme si c'étaient des marionnettes. Puis, poupou a entonné *Le ciel est bleu, réveille-toi, c'est un jour nouveau qui commence !* (la chanson magique qui calmait Zoé au temps des coliques). Alors, même si le ciel était uniformément gris, on a repris en chœur *Le ciel est bleu* une 2e, et même, une 3e fois. Après ça, on en a eu ras le bol. Zoé aussi d'ailleurs.

– Elle bave beaucoup, a commenté maman. Je parie qu'elle perce des dents, la pauvre.

– Encore ! ! ! s'est exclamé papa. Cette enfant n'arrête pas de faire des dents !

(Il a raison. Même si Zoé n'a pas tout à fait 10 mois, elle arbore déjà un nombre incalculable de dents. Bon, j'exagère un peu. Mais c'est vrai qu'elle a beaucoup plus de dents que de cheveux.)

À la halte routière, ma mère a changé de place avec moi. Elle a tenté de distraire sa Prunelle en sortant le trousseau de clés multicolores qu'elle a agité comme des castagnettes… Malgré ses efforts, moumou n'a pas pu éviter la crise. Prisonnière de son siège de bébé, Zoé battait des pieds en hurlant. Maman lui a donné son biberon. Le saisissant d'un air furieux, Zouzou l'a lancé. L'engin a atterri sur la tête de Caroline qui a fondu en larmes. Essayant de couvrir les cris de Zoé et les reniflements de Caro, moumou a chanté *Bébé d'amour* à tue-tête. Pendant ce temps, papa, les mains crispées sur le volant, appuyait sur l'accélérateur. Et dire qu'on était censés être en vacances ! Pas plus tard qu'hier, alors que maman préparait les bagages, papa lui avait pourtant fait une promesse : « Tu verras, Astrid, nous allons passer quatre jours de détente totale ! » Disons que c'était plutôt mal parti…

TILT ! Comment n'y avais-je pas pensé plus tôt ?! Glissant le CD de Lola Falbala dans le lecteur, j'ai sélectionné la 2e chanson. Dès les premières paroles de *A real man,* Zoé Aubry s'est arrêtée net de pleurer. Elle a écouté le reste du disque sans broncher. Mais lorsque Lola Falbala s'est tue pour de bon, sa plus jeune fan s'est remise à pleurnicher.

– Alice, peux-tu remettre Loanna Flafla ? a demandé maman.

Loanna Flafla… Elle commence à m'énerver, ma mère, avec ses noms à la noix de coco ! On dirait qu'elle s'amuse à DéfORmeR le nom de ma chanteuse préférée. Avoue, cher journal, que Lola Falbala, c'est quand même pas difficile à retenir !

Bref, deux fois le disque de Lola Falbala (alias Loanna Flafla), quelques sandwiches et une halte-pipi plus tard, on est arrivés au kiosque d'accueil du parc. Zoé venait de s'endormir. Dans sa cabine, un gardien pas très jeune se tenait assis, le menton sur la poitrine. Ses yeux étaient fermés et sa bouche ouverte.

– Il est mort ? a lancé Caro.

Il faut dire qu'elle a déjà vu un épisode de la télésérie *Gangs de rue,* chez son amie Jessica. Sans que maman le sache, bien entendu, parce que, selon Astrid Vermeulen, au primaire, on est bien trop jeunes pour regarder ça.

– Mais non, il fait la sieste, a répondu papa.

Poupou n'a pas klaxonné, afin de ne pas réveiller Zoé. Ouvrant *doucement* sa portière, il est allé frapper à la vitre de la cabine. Après avoir dodeliné de la tête, le gardien l'a redressée brusquement, nous dévisageant comme s'il avait une vision d'horreur. Papa lui a demandé où se situait notre emplacement de camping. Grommelant des paroles incompréhensibles, le gardien a désigné le chemin de gauche.

Par chance, on a vite trouvé l'emplacement 227. Pas fâchés d'être arrivés ! On a commencé à monter la tente. Alors que je passais le sac de piquets à papa, j'ai fait :

– Aïe ! Sale maringouin !

– Je vais chercher la lotion anti-moustiques, a dit maman.

Moustique = maringouin

Pour être sûre que tu comprennes, cher journal, je t'explique le mot « moustique ». C'est ainsi qu'on appelle les maringouins en Belgique, le pays de moumou. Même si elle vit au Québec depuis 13 ans, elle continue à parler de « moustique ». Enfin, moustique ou maringouin, c'est le même insecte vorace qui ne rêve que d'une chose : pomper notre sang.

Malheureusement, il n'y en avait pas qu'un seul… En un rien de temps, un escadron de maringouins s'est mis à nous piquer méthodiquement (de véritables vampires !).

– Et puis, ça s'en vient, le produit ? a crié papa.

Maman, qui fouillait dans sa valise, lui a répondu :

– Attends, Marc, je ne sais plus où je l'ai rangé…

Sacrée moumou, toujours aussi distraite !

On a passé la fin de l'après-midi au lac. Papa s'est mis à faire des ricochets avec des pierres plates qui rebondissaient plusieurs fois sur l'eau avant de s'y enfoncer. Il nous a montré comment faire, en lançant la roche d'un petit coup sec du poignet. Sans résultat : nos galets, à Caroline et à moi, coulaient à pic. J'allais déclarer forfait quand ma roche a fait deux rebonds ! J'ai recommencé et ça a encore fonctionné. Yé ! Je sais faire des ricochets !

Maman nageait un peu plus loin. Elle nous a appelées :

– Venez, les filles !

Caro ne s'est pas fait prier pour la rejoindre. Moi, j'ai prétexté que l'eau était trop froide. (J'y ai trempé un orteil et brrr…) Mais il ne s'agissait pas de la seule raison pour laquelle je ne voulais pas barboter. Je suis un peu (beaucoup) gênée de t'avouer la 2e raison, cher journal : j'ai peur qu'un requin affamé ne surgisse des profondeurs ! Ben oui, je le sais que dans un lac, il n'y a aucun risque de se retrouver nez à nez avec un squale. Cependant, j'ai beau me raisonner, c'est plus fort que moi.

Avant d'aller dormir, papa est allé déposer notre sac poubelle dans le grand bac roulant du chalet des toilettes.
– Pour éviter d'attirer les ours, a-t-il expliqué.
– Quoi, il y a des ours par ici ? ! ai-je demandé.
– On ne sait jamais.

Pas rassurant… Sous la tente, papa avait installé son bichon entre maman et lui, dans un sac de couchage pour bébé. Ensuite, c'était moi. Et à ma gauche, Caro, Nouf-Nouf et compagnie. J'aurais préféré me coucher au bout, mais ma sœur ne voulait pas céder. Alors, maman a tranché :
– Demain, ce sera au tour d'Alice d'être de ce côté-là !

Zoé n'est pas restée longtemps dans son sac de couchage. À quatre pattes, elle se penchait d'un air étonné vers papa puis vers maman. En effet, c'était la première fois qu'elle couchait par terre, entourée de sa famille. Elle devait se demander ce qui se passait. Nos parents, eux, faisaient semblant de dormir. J'ai ressenti une furieuse envie de rire. En respirant profondément, j'ai réussi à me contrôler. Zoé

nous a enjambées, maman, moi et Caro. Elle s'est mise à gratter la toile de la tente en faisant :
– Gagou, gaga.

Cette fois, j'ai pouffé de rire. Du coup, Caro s'est esclaffée également. Ravie, Zouzou a chantonné :
– Yé, yé, yé !

Finalement, on rigolait tous les cinq. Maman a fini par réclamer le silence pour permettre à Zoé de se calmer. Sa Prunelle ne donnait cependant pas le moindre signe de fatigue. Il faut dire qu'elle avait fait une longue sieste en après-midi...

Moumou s'est soudain exclamée :
– Zut, la chenille ! Je l'ai oubliée à la maison.

En effet, depuis sa naissance, Zoé s'est toujours assoupie au son de sa chenille musicale. Mais pour une fois, la distraction d'Astrid Vermeulen avait du bon ! Car je nous voyais mal obligés d'écouter 36 fois la même ritournelle en attendant que notre bébé chéri tombe de sommeil ! La boîte à musique se trouvait à plus de 200 km d'ici. Fiouuu... On avait échappé à ce supplice !

Caroline s'était endormie. Mes piqûres de maringouins ont commencé à chatouiller. C'était pire que quand j'avais la varicelle ! Je l'ai dit à maman. En soupirant, elle a allumé la lampe de poche et a fouillé dans la trousse de toilette. J'ai alors enduit mes piqûres de baume apaisant. Zoé a cessé de gazouiller. Puis, j'ai dû m'assoupir à mon tour.

Au beau milieu de la nuit, des grattements à l'extérieur de la tente m'ont réveillée en sursaut. Si c'était un voleur ? Ou **un ours ?!**

J'ai murmuré :

– Papa. Papaaa.

– Oui, Chaton, a-t-il répondu d'une voix ensommeillée.

– Non, c'est Alice. C'est quoi, ce bruit ?

Le remue-ménage a recommencé.

– Je vais aller voir, a déclaré mon père en ouvrant la tente.

Quelques instants plus tard, il m'a appelée doucement. J'ai réussi à m'extirper de mon sac de couchage sans réveiller maman et mes sœurs.

– Regarde ! a dit papa.

Un croissant de lune éclairait la clairière. Un raton-laveur se tenait à quelques mètres de nous. Scritch, scritch, scritch. Ma parole, il tirait quelque chose d'un paquet qu'il avait déchiré. Les biscotti de madame Baldini ! Il en a grignoté deux avant de s'éloigner.

– Il les a trouvés où ? ai-je demandé.

– Lorsqu'on a déchargé la fourgonnette, le paquet a dû tomber de la caisse de provisions.

Une fois le visiteur parti, on s'est recouchés.

Plus tard, j'ai rêvé que Karim et moi, on avait échoué sur une île déserte. Main dans la main, on se promenait sur le sable, à la recherche de coquillages nacrés. Puis, on nageait dans la mer turquoise parmi les récifs de corail. Moumou n'était pas là pour me répéter toutes les trois secondes de me badigeonner de crème solaire. Il n'y avait

pas non plus de maringouins. C'est alors que Zoé a commencé à geindre. Mon rêve s'est arrêté net. Dommage ! Se soulevant sur un coude, maman a murmuré :
– Chéri, peux-tu allumer le réchaud de camping ?
– À cette heure-ci ? ! s'est étonné papa. Il est 5 h 53 du matin !
– Je sais, mais il faut chauffer l'eau dans laquelle on fera tiédir le biberon.

Tu comprends, cher journal, que vacances ou pas, la routine continue. Je suis crevée. Et le reste de la famille aussi. Bon. À demain !

Lundi 5 juillet

14 h 25. Ce matin, papa, Caro et moi, on est partis en forêt. Au bout d'une demi-heure de marche, on a débouché sur un promontoire qui surplombait le lac. Autour de nous, il n'y avait que la nature et le silence. On s'est assis sur une roche pour admirer le panorama. Pendant qu'on mangeait une collation, papa m'a dit :
– T'en rends-tu compte, ma puce… dans une semaine, tu t'envoles pour la Belgique ? !

C'est vrai ! Ça semblait si loin, ce séjour chez mamie Juliette, mais, tout à coup, on y est presque. J'ai hâte de la revoir, ainsi que tante Maude, Lulu et Quentin !

Quelques minutes plus tard, un chien a surgi d'un sentier qui croisait le nôtre. Il s'est planté devant nous en aboyant.
– File ! lui a crié papa.

On a continué à avancer. J'ai jeté un coup d'œil par-dessus mon épaule. Le chien marchait sur nos pas. Je l'ai signalé à mon père. Il l'a chassé en lui ordonnant de retourner chez lui. Ça m'a fendu le cœur. Il ne lui avait rien fait, cet animal. Bref, il a disparu... Mais cinq minutes plus tard, il trottait à nouveau derrière nous. Caro a demandé si elle pouvait le caresser, mais papa a dit :

– Si vous le flattez, il risque de nous suivre.

Je lui ai fait remarquer que le chien nous suivait déjà.

– Il doit être habitué à se promener en forêt, a déclaré notre paternel. Il retrouvera bien son chemin.

C'est pourtant avec le chien sur nos talons qu'on a fait irruption sur la plage.

– Yé, yé, yé ! s'est écriée Zouzou en apercevant notre compagnon à quatre pattes.

– D'où sort-il ? a demandé maman.

Caro lui a expliqué qu'il nous avait suivis. C'est alors que j'ai proposé :

– On pourrait le garder.

– C'est hors de question.

– Pourquoi pas ? a dit Caro. Il remplacerait Grand-Cœur.

Outrée, j'ai répliqué :

– *Personne* ne remplacera *jamais* Grand-Cœur !

Puis, j'ai rappelé à ma mère :

– Tu as toujours dit que tu préférais les chiens aux chats !

– C'est vrai, a-t-elle reconnu. Mais je suis déjà suffisamment occupée pour m'encombrer d'un animal.

Dommage ! Moi qui rêve depuis si longtemps d'avoir un chien… Et justement, celui-ci n'était ni trop grand (ça coûte cher en nourriture), ni trop petit (même si le chihuahua de Lola Falbala est mignon, personnellement, je n'aime pas trop les chiens miniatures qui aboient de façon hystérique en pensant nous impressionner). En fait, avec sa bonne tête et ses poils bruns, ce chien aurait été parfait. Je te laisse, cher journal, car on m'appelle pour le souper.

Mardi 6 juillet

Hier soir, papa a allumé un feu de camp. Au menu : des hamburgers. (Sans ketchup, maman l'avait oublié… Miss Ketchup a commencé par bouder en fixant son hamburger. Sa grève de la faim n'a cependant pas duré. Deux minutes plus tard, elle a dévoré son souper sans faire plus de manières.) Maman refusait qu'on donne à manger au chien. Elle répétait que sinon, il ne s'en irait jamais. Mais ce dernier n'avait pas l'air de vouloir partir. D'où venait-il d'ailleurs ? Il était propre et semblait bien nourri. Il portait un collier en cuir brun sans médaille. Mystère. J'ai camouflé la moitié de mon hamburger dans ma serviette en papier. Ainsi que la crème vanille-soya. Moumou est incorrigible : elle a beau savoir qu'on n'apprécie pas ce genre de dessert, elle continue de nous en refiler, même en camping ! En se disant que, comme c'est à la vanille ou au chocolat, on se précipitera dessus et qu'on ne se rendra pas compte qu'il y a *aussi* du soya dedans…

Lorsque je me suis dirigée vers la cabane qui abrite les toilettes, le chien m'a suivie. Je lui ai tendu le morceau de viande et le bout de pain. Il les a engloutis d'un coup. Ainsi que la crème au soya. Il a si bien nettoyé le contenant avec sa langue qu'on aurait dit qu'il sortait du lave-vaisselle. Puis, le chien s'est tourné vers moi. Ses yeux semblaient dire « merci ». Quand je suis revenue à notre emplacement, il faisait déjà sombre. Zoé, en pyjama sur les genoux de papa, était hypnotisée par le feu de camp. On a fait griller des guimauves sur des bâtons. Au moment où on s'est mis à chanter, on a senti les premières gouttes de pluie.

– Tiens, pourtant Maude n'est pas là, a dit maman, à la blague.

Maude, c'est sa sœur (et ma tante). Elle a la réputation de « faire pleuvoir » quand elle chante. Bref, il pleuvait vraiment et on s'est précipités dans notre tente.

– Et le chien ? ai-je demandé.

– Ce cabot n'entrera pas ici ! a déclaré maman. Ne t'inquiète pas pour lui, Biquette. Il s'abritera sous les arbres. Ou il retournera chez lui.

C'était à mon tour de me coucher à gauche. À peine dans son sac de couchage, Caroline s'est endormie. Zoé n'a pas gigoté longtemps. Bercée par le tambourinement de la pluie sur la tente, j'étais sur le point de m'assoupir à mon tour. Soudain, j'ai senti une pression à l'extérieur, à la hauteur de mon épaule. Au travers de la toile, mes doigts ont tâté un truc ferme et chaud. Cette chose a émis un tout petit grognement, du genre « mwouf ! ». Le chien ! J'ai collé ma tête contre la sienne. Seul le tissu de la tente nous séparait. J'ai pensé : « Le pauvre, il doit être trempé ! » Puis, j'ai sombré dans un profond sommeil.

Au réveil, quand notre bébé chéri a réclamé son biberon, je suis sortie de la tente. La pluie avait cessé. J'ai cherché le chien des yeux. Il se tenait au milieu des flaques, le poil encore humide. Lorsqu'il m'a aperçue, il a accouru vers moi en remuant la queue. Toute la matinée, il est resté avec nous sur la plage. Papa lui a même donné un peu de pain et la couenne du jambon. Comme on repart demain, je me demande bien ce qu'il va devenir. D'autant plus qu'il a commencé à tousser. Il a dû attraper froid sous la pluie.

Mercredi 7 juillet

Hier soir, le ciel était dégagé. Papa nous a proposé, à Caro et moi, de dormir à la belle étoile. On a installé nos matelas et nos sacs de couchage à l'extérieur. Que c'était beau, ce ciel criblé d'étoiles ! J'ai trouvé la Grande Ourse. En effet, monsieur Gauthier, notre enseignant de 5e année, nous avait appris à reconnaître cette constellation en forme de casserole. Papa nous a aussi montré la planète Mars (elle est rouge) ainsi qu'une étoile filante, qui filait si vite que je n'ai pas eu le temps de la repérer. Ma sœur s'est endormie, puis mon père aussi. J'ai discrètement appelé le chien. Il s'est étendu à mes côtés.

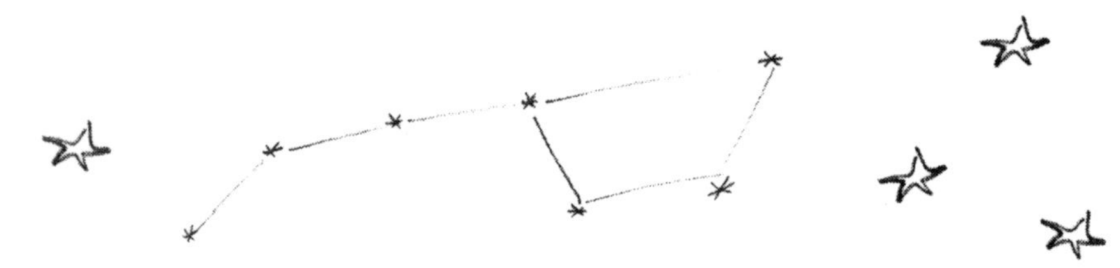

Ce matin, je me suis réveillée parce que j'avais froid. Mon sac de couchage était tout trempé par la rosée. Le chien toussait toujours. Le pauvre ! On n'abandonne pas un animal qui tousse, quand même ! Il risquait d'attraper une pneumonie. Ce dont il avait besoin, c'était d'une couverture confortable sur laquelle dormir bien au sec, d'un bon repas et peut-être aussi de soins vétérinaires. Je suis rentrée dans la tente. Maman habillait Zoé. Je lui ai exposé mon point de vue. En vain. Puis, j'ai ajouté :

– Moumou, s'il te plaît, dis-moi que je peux garder le chien ! Tu prétends que tu n'en veux pas pour ne pas avoir de travail supplémentaire. Mais tu n'auras *rien* à faire parce que c'est *moi* qui m'en occuperai. Et si tu me laisses aller garder chez les Bergeron, je gagnerai des sous pour payer sa nourriture.

En désespoir de cause, j'ai lancé un argument de choc :

– Tu adores les desserts au soya. Figure-toi que le chien aussi !

– Comment ça ?

– Je lui ai refilé le restant de ma crème, hier. Et il l'a trouvée délicieuse ! Vous avez les mêmes goûts, lui et toi. Vous êtes faits pour vous entendre !

– C'est vrai qu'il est sympathique, ce chien, mais non, c'est non.

Déçue, je suis allée rejoindre papa qui faisait griller des toasts. Quand je lui ai parlé du chien, il m'a répondu :
– Arrange-toi avec ta mère, Alice. Moi, je ne m'en mêle pas !

Je n'ai presque rien mangé ce matin. Ni ce midi. Après la vaisselle, on a commencé à plier bagage. Le cœur serré, je refoulais mes larmes. Zouzou s'est approchée à quatre pattes. Se postant devant le chien, elle a dit :
– Chin.

On s'est tous regardés. C'était le deuxième mot de notre bébé chéri ! (Elle dit déjà *papa,* mais pas encore *maman.*)
– Oui, c'est un chien ! a acquiescé maman, très fière de l'exploit de sa Prunelle.

J'ai tenté de profiter de l'occasion :
– Maman, même Zoé l'aime, ce chien. Tu ne peux pas rester insensible à ça ? Tu n'as pas un cœur de pierre !

Ma mère s'est mise à rire et m'a ébouriffé les cheveux.
– Non, je ne suis pas sans cœur, Alice, et tu le sais. Mais je suis pratique. Mon congé de maternité se termine à la fin du mois prochain. Et même sans chien, je me demande déjà comment j'y arriverai.
– Tu dis toujours qu'il faut prendre l'air et bouger, ai-je poursuivi. Si on adopte le chien, je passerai moins de temps à l'ordi. Caro et moi, on ira le promener tous les jours.
– Juré craché ! a confirmé ma sœur.

Mais pas moyen d'attendrir maman. Bon, papa nous a annoncé qu'on était prêts à partir. C'est affreux, affreux.

20 h 15. De retour à la maison. On a mangé et me revoici, cher journal. Tu te rappelles que, cet après-midi, mon père avait annoncé le départ. Je ne parvenais plus à retenir mes larmes. Le chien, que j'entourais de mes bras, se rendait compte que ça n'allait pas. Inquiet, il gémissait doucement. À nouveau, il a été secoué par cette vilaine toux. Caroline et maman sont montées à leur tour dans la fourgonnette. Après avoir attaché Zoé dans son siège d'auto, papa m'a appelée :
– Allez, Alice, on n'attend plus que toi !

J'ai embrassé le chien en sanglotant. Au moment où on démarrait, je l'ai aperçu à travers mes larmes. Immobile au milieu de la clairière, il nous regardait. C'était le deuxième jour le plus triste de ma vie, après celui de la mort de Grand-Cœur.

On arrivait à la route principale quand Caroline s'est mise à bâiller. Maman lui a conseillé :
– Pourquoi n'essaies-tu pas de dormir un peu, comme Zoé ?

Vexée, ma sœur a rétorqué :
– Je ne suis pas un bébé !
– Moi, ça fait 36 ans que je ne suis plus un bébé, lui a dit papa. Mais je t'assure, Chaton, que si je n'étais pas au volant, je ferais une méga-sieste !

Caro a fouillé dans son sac de cochons en peluche. Elle les a sortis un à un avant de s'exclamer :
– Nouf-Nouf !
– Chut ! a demandé maman en posant son doigt sur ses lèvres. Tu vas réveiller ta petite sœur.

Mais Caroline était en alerte.
– Nouf-Nouf n'est pas là ! ! !
– Il doit se trouver dans le coffre. Marc, as-tu vu Nouf-Nouf ?
– Non.
– Je l'avais rangé avec les autres ! a affirmé Caro. Il a dû tomber du sac avant qu'on embarque !

Maman a soupiré :
– On ne va tout de même pas retourner là-bas…

Papa, lui, n'a rien dit, mais il a fait demi-tour.

Une demi-heure plus tard, on était de retour à l'emplacement 227. Caroline s'est élancée hors de la fourgonnette. Mon cœur était tellement vide. Le chien avait disparu. Abandonné de tous, il était reparti, en toussant, dans la forêt profonde.

Soudain, un aboiement a retenti. Le chien a déboulé dans la clairière en battant de la queue ! Il a fait la fête à Caro. À mon tour, je me suis précipitée dehors.
– Nouf-Nouf ! a crié ma sœur en apercevant sa peluche dans l'herbe.

Elle a serré son précieux cochon sur son cœur. Moi, j'ai enfoui mon nez dans le pelage du chien.

Mon père s'est approché.
– Tu as raison, ma puce. On ne peut pas laisser cette bête tousser comme ça. Ça fait pitié de l'entendre. Si le gardien du parc avait été plus sympathique, on aurait pu la lui confier mais comme ce n'est pas le cas, maman et moi avons un marché à te proposer. Nous emmenons le chien à Montréal. On le soignera si c'est nécessaire et on lui cherchera un bon maître. Et si personne n'en veut…
– On l'adoptera ! me suis-je écriée.
– Non, on appellera la fourrière. Ça te va ?
– D'accord, ai-je répondu.

Je n'avais pas le choix. J'ai rejoint mes sœurs et ma mère.
– Viens, ai-je dit au chien en tapotant ma cuisse.

Bondissant dans le véhicule, il s'est installé à mes pieds. On aurait dit qu'il avait l'habitude de voyager avec la famille Aubry ! Le trajet du retour s'est mieux passé que celui de l'aller. En fait, tout le monde a dormi (sauf poupou, heureusement, car il était au volant !).

Une fois chez nous, maman m'a demandé de sortir le chien dans la cour pour qu'il fasse ses besoins. (Bien sûr, cher journal, j'ai mis sa crotte dans un sac en plastique que j'ai jeté dans la poubelle. Ça me dégoûtait, mais bon, le chien et moi, on doit être irréprochables…) Ensuite, j'ai donné le bain à Zoé pendant que papa rangeait les affaires de camping et que maman préparait le souper (une omelette pour nous et des cubes de viande décongelée pour le chien). Elle voulait qu'il dorme dans la cuisine. Lorsqu'elle a fermé la porte, le pauvre animal s'est mis à pleurer. Enfin, je suppose qu'il pleurait, car il poussait de petits cris plaintifs. Je suis allée voir ma mère.

– S'il te plaît, laisse-le dormir dans ma chambre. Il ne connaît pas notre maison. Il a besoin de compagnie pour se sentir en sécurité.

– Mais s'il a des puces…

– Il n'en a pas ! S'il en avait, il se gratterait. Et je ne l'ai pas vu se gratter une seule fois.

– Bon, d'accord, a soupiré maman.

Toute contente, je me suis jetée dans ses bras.

En m'embrassant, elle m'a dit :

– Au fait, Biquette, ce chien est une femelle.

Dès l'instant où j'ai délivré le chien (ou plutôt la chienne !), elle a cessé de gémir. Elle m'a suivie en haut. J'ai posé la vieille couverture pliée en quatre à côté de mon bureau, et elle s'est allongée dessus. Caroline et moi, on l'a caressée. Puis, ma sœur s'est couchée. Elle s'est endormie en serrant Nouf-Nouf-le-rescapé dans ses bras. Le téléphone a sonné. Peu après, papa est venu me dire qu'oncle Alex était de retour chez lui. En effet, mon oncle photographe a passé 1 mois et ½ au Mexique.

– On le verra avant mon départ ? ai-je demandé.

– Oui, il viendra dimanche soir.

Yé !

Cher journal, je t'ai raconté la fin de cette journée en veillant sur la chienne qui dort paisiblement (à part une quinte de toux qui la secoue de temps en temps). Elle est si mignonne ! Que va-t-il nous arriver ? Il est 22 h 01, et, malgré ma longue sieste durant le trajet vers Montréal, je suis vidée. Dormir en camping, c'est cool, mais je ne suis pas fâchée de retrouver mon vrai lit.

J'avais demandé à papa d'imprimer la belle photo qu'il a prise de la chienne et moi devant la tente. J'allais me mettre au lit quand il me l'a apportée. Je la colle ici.

Jeudi 8 juillet

Ce matin, lorsque la chienne et moi, on est descendues à la cuisine, maman l'a prise en photo.

Je me suis dit que c'était bon signe. Mais pas du tout ! Elle voulait seulement illustrer son annonce « Chien à donner ». Ma mère a de la suite dans les idées… Elle est allée écrire son texte à l'ordi. Quelques minutes plus tard, l'imprimante s'est mise en marche. Réapparaissant dans la cuisine avec plusieurs exemplaires de son affiche, maman m'a informée qu'elle sortait avec Zoé. Elle en profiterait pour placer l'affiche à l'épicerie, au dépanneur et à la pâtisserie. Et même chez monsieur Tony, le coiffeur pour hommes au bout de la rue.

Sur la photo, la chienne est franchement irrésistible avec ses grands yeux confiants et sa truffe en gros plan ! Le problème, c'est que tout le monde va vouloir l'adopter… Je me suis rappelé ce que mon père avait dit hier : « Si personne ne veut de cette pauvre bête (à part Caro et moi bien sûr, mais apparemment, ça ne compte pas…), elle atterrira à la fourrière. » Et là-bas, si au bout d'un certain temps, l'animal recueilli n'est pas adopté, je crois qu'on lui fera une piqûre mortelle. Comme celle qui a « endormi » mon bon Grand-Cœur. Sauf que mon pacha de chat était mourant. Tandis que la chienne, elle, est bien vivante. Bref, c'est l'horreur absolue ! J'aime autant ne pas y penser. En attendant, je lui fais plein de câlins. Elle est tout simplement adorable !

19 h 30. Je viens d'avoir une idée ! S'il faut absolument trouver un maître pour *ma* chienne, il vaut mieux que ce soit quelqu'un que je connais. Quelqu'un de gentil, qui en prendra soin. Quelqu'un chez qui j'aurais l'occasion de la revoir. Grand-papa et grand-maman, par exemple. Ou encore mieux, les Baldini ! Ainsi, je pourrais aller la promener chaque jour, comme si c'était la mienne. Bon, je file leur téléphoner !

19 h 39. Ça ne répondait pas chez les voisins ni chez mes grands-parents, d'ailleurs. J'ai laissé un message sur leur répondeur.

20 h 53. Mauvaise nouvelle : grand-maman ne veut pas de chien. Je lui ai rappelé :
– Mais vous en aviez un, quand Étienne, Alex et papa étaient jeunes !
– C'est vrai, Alice. Cependant, ton grand-père prendra sa retraite à la fin de l'année. On tient à pouvoir voyager sans avoir à se demander qui gardera notre animal.

Bref, madame Baldini est mon dernier espoir. Je lui passerai un autre coup de fil demain.

Vendredi 9 juillet

Cette nuit, je marchais dans un couloir bordé de grandes cages. Dans chacune d'elles était enfermé un chien. Un bref jappement s'est fait entendre. Je me suis approchée.

Derrière le grillage, il y avait la chienne ! Elle m'avait reconnue. Un homme en blouse blanche est arrivé. Je lui ai dit :
– Monsieur, c'est elle que je choisis !
– Trop tard, a décrété l'homme. Tu aurais dû venir hier.

Il a ouvert la cage. Sortant une longue seringue de sa poche, il a saisi la pauvre bête pour la piquer. Je me suis réveillée en sursaut. Quel affreux cauchemar ! Et quel soulagement de m'apercevoir que la chienne était toujours en vie, au pied de mon lit. Mais mon cœur s'est à nouveau glacé quand j'ai réalisé que ce n'était peut-être plus pour longtemps. Le danger de l'injection fatale n'était pas écarté. Il se rapprochait même de jour en jour.

Ce matin, je sortais de la salle de bain avec ces idées en tête lorsque le téléphone a sonné. Maman a répondu. En entendant le mot « chien », j'ai dressé l'oreille. Je suis aussitôt descendue dans le bureau pour décrocher l'autre téléphone et écouter. (D'habitude, cher journal, je n'épie jamais les conversations, mais là, ça me concernait.) Au bout du fil, une femme disait à maman :
– Ma fille de trois ans a vu l'affiche au dépanneur.

Sa voix ne m'était pas inconnue. Elle a continué :
– Et Marie-Capucine…

C'était madame Bergeron, la mère de Marie-Capucine et Jean-Sébastien !
– … depuis hier, elle nous supplie d'adopter ce chien, a poursuivi notre voisine du n° 7 de la rue. J'espère qu'il n'est pas trop tard.

– Finalement, nous avons décidé de le garder, a répondu maman.
– Oh, dommage ! Marie-Capucine sera *très* déçue…
– Désolée, madame, et bonne journée quand même.

Apparemment, moumou n'avait pas reconnu madame Bergeron. Peu importe. J'ai poussé un tel cri (de bonheur) que la chienne s'est mise à japper d'un air inquiet. Je l'ai rassurée :
– T'en fais pas, tout va bien !

Et je me suis précipitée vers la cuisine avec elle sur mes talons.

J'ai questionné ma mère :
– C'est vrai, on peut la garder ? !
– Il me semblait bien que quelqu'un avait décroché le téléphone du bureau…, a dit maman en souriant.

Puis, elle a continué :
– Oui, Biquette, nous allons garder cette bonne bête. Il n'y a que les sots qui ne changent pas d'avis. Et moi aussi, en quelques jours, je m'y suis attachée. Mais je compte sur toi pour remplir tes engagements : la nourrir, changer régulièrement l'eau de son bol, aller la promener deux fois par jour et ramasser ses crottes. Je vais appeler le vétérinaire pour prendre rendez-vous. Cette chienne a sans doute besoin de vaccins.

Quel retournement de situation ! Je n'en revenais pas. Je me suis pincée pour m'assurer que je ne rêvais pas. Mais non. Alors, je me suis jetée dans les bras de ma mère.

– Merci, moumouuu ! ! !

– Qu'est-ce qui se passe ? a demandé Caroline en débarquant dans la cuisine.

Lorsque je lui ai annoncé que la chienne faisait désormais partie de notre famille, Caro a poussé des cris de joie à son tour. Elle a planté un bisou sur la truffe de l'adoptée. Puis, saisissant ses pattes avant, elle l'a entraînée dans une folle farandole. (Zoé, aux anges, applaudissait. Quant à moi, j'étais si heureuse que mon cœur débordait.)

tralala

tralala

11 h 35. Caro et moi, on vient de rentrer à la maison. Maman nous avait donné pour mission de récupérer les affiches « Chien à donner » dans les commerces du quartier. Je n'avais pas emmené la chienne pour la bonne raison que nous n'avons pas de laisse. C'est d'ailleurs au programme : demain, nous irons en chercher une. En attendant, pour fêter l'événement, j'ai acheté au dépanneur une barre de chocolat blanc à Caro. Ainsi que des gommes à la cannelle pour moi. (J'adore quand la saveur piquante de la cannelle explose sur mes papilles gustatives ! Mmm...)

19 h 11. Ce soir, je venais de glisser la dernière gomme du paquet dans ma bouche quand mon père est rentré du travail. J'ai dévalé l'escalier, suivie par Caro. On a appris à poupou qu'on adoptait officiellement la chienne. En fait,

il le savait déjà. (Maman et lui en avaient discuté hier soir.) Il m'a demandé :
– Comment vas-tu l'appeler, ton chien ?
– *Notre* chien, a précisé Caro. C'est *moi* qui m'en occuperai quand Alice sera à Bruxelles.
– Chinchin, a pour sa part déclaré Zoé.
– Ce n'est pas un chien, mais une chienne, a rappelé maman.

Faisant mine de tomber dans les pommes, poupou s'est écrié :
– Une fille de plus dans la famille ! Aïe, aïe, aïe, je suis définitivement en minorité ! Pour rétablir l'équilibre, je ne vois qu'une solution, Astrid. Il va falloir concevoir d'autres bébés !

Et à la blague, il a ajouté :
– Que penses-tu de triplés garçons, mon cœur ?

Sur le même ton comique, moumou lui a répondu :
– Eh bien, tes triplés, chéri, tu devras les avoir avec une autre femme. Car en ce qui me concerne, nos trois filles me comblent déjà !

Prise d'une soudaine inspiration, j'ai questionné maman :
– La cannelle, c'est brun ?
– Oui, cette épice est brune. Il s'agit de l'écorce intérieure du cannelier, un arbre originaire du Sri Lanka, en Asie. Elle possède de nombreuses vertus et…

Lorsqu'on interroge ma diététiste de mère sur les bons ingrédients alimentaires, elle est intarissable ! Lui coupant la parole, j'ai déclaré :

– Notre chienne, on va l'appeler Cannelle !

Caro a acquiescé :

– OK ! Cannelle, ça rime avec belle. Et la chienne est presque aussi belle que toi, maman !

Papa a pouffé. Ma sœur s'est offusquée.

– M'enfin, pourquoi tu ris ? C'est vrai !

– Merci pour le compliment, Ciboulette, a dit moumou en embrassant tendrement sa deuxième fille. Tu es mignonne !

20 h 54. Marie-Ève vient de m'appeler de chez sa mère, à Laval. Elle est rentrée d'Ottawa. Elle et moi, on ne s'est pas vues depuis plus de deux semaines. (À part 3 × sur Skype, avant qu'on ne parte en camping. Mais pas depuis, parce que Marie-Ève et son père sont allés visiter les chutes du Niagara.) Bref, j'ai hâte de retrouver ma meilleure amie ! Elle a confirmé qu'elle serait chez moi demain après-midi, vers 13 h 30. (En effet, je l'avais invitée à venir me voir juste avant mon départ pour la Belgique.)

Samedi 10 juillet

Hier soir, après avoir souhaité une bonne nuit à Cannelle, je me suis glissée dans mon lit. J'étais sur le point de m'endormir quand j'ai senti sa truffe humide contre ma joue.

– Oui, qu'est-ce qu'il y a ? ai-je murmuré.

Cannelle a émis un mini-gémissement.

– Quoi, tu veux dormir près de moi ? Bon, d'accord !

J'ai tapoté mon lit et ma chienne n'a pas hésité une seconde. Elle a immédiatement sauté dessus.

– Installe-toi au bout. Voilà ! Tu sais, tu as bien fait de nous avoir suivis, l'autre jour. En réalité, c'est toi qui nous as adoptés la première. Lundi, je vais partir loin, très loin. De l'autre côté de l'océan. Mais je ne t'abandonne pas. Dans moins de trois semaines, je serai de retour. En attendant, Caro et mes parents s'occuperont de toi.

Confiante, Cannelle a posé sa tête sur ses pattes.

– Je t'aime, lui ai-je dit en la caressant.

Elle a poussé un discret grognement de bien-être, puis n'a plus bronché. Quant à moi, je me suis endormie tout de suite, comme au temps où Grand-cœur dormait à mes pieds. Sauf que Cannelle, elle, était couchée *à côté* de mes pieds et non *dessus*. Raison nº 1 : elle est plus lourde que mon chat. Raison nº 2 : il fait très chaud.

Cette nuit, j'étais assise au bord d'un torrent avec Cannelle à mes côtés. Sur la rive voisine, j'ai vu apparaître un chat noir. Grand-Cœur ! Il était de retour ! ! ! M'ayant reconnue, lui aussi, il s'est approché de la berge pour me rejoindre. Alors qu'il descendait dans l'eau, un tourbillon l'a emporté. Totalement impuissante, j'ai entendu mon chat miauler à fendre l'âme en tentant désespérément de regagner la rive. En vain. Je me suis réveillée en sueur. Mon cœur battait la chamade. Quelle horreur ! Heureusement, c'était un cauchemar (encore un, j'en ai marre !). Mais, même si mon chat ne s'était pas noyé, le résultat était le même : il était mort.

En me réveillant, vers 8 h, je me suis rappelé ce mauvais rêve. Je me suis demandé : « C'est parce que j'aime Cannelle que Grand-Cœur revient dans mes songes ? Est-il jaloux ? » Non, à mon avis, mon bon pacha de chat n'aurait pas été jaloux de ma chienne. Certes, il y aurait eu une phase d'apprivoisement mutuel, mais après, je pense qu'ils seraient devenus bons amis. (Tout ça en théorie, bien sûr, car il est clair qu'Astrid Vermeulen n'aurait JAMAIS accepté qu'on ait deux animaux à la maison.) Je me suis souvenue des paroles que ma mère avait prononcées, peu après la naissance de Zoé, du temps où Caroline était jalouse. Selon elle, le cœur était élastique, ce qui permettait d'aimer plusieurs personnes à la fois. Elle a raison, maman ! Mon chat occupe à tout jamais une place dans mon cœur. Et maintenant, Cannelle y a également sa place !

Cannelle et Grand-Cœur = mes amis de ♡

Bonne nouvelle : Cannelle ne tousse plus !

10 h 48. On revient de l'animalerie, maman, mes sœurs et moi. On a choisi une laisse et une médaille en forme de cœur à accrocher au collier de la nouvelle membre de la famille Aubry. On y a fait graver notre n° de téléphone ainsi que le nom de Cannelle. Pour que plus jamais elle ne se perde. Bon, je te laisse, cher journal. Je pars la promener.

11 h 26. Lorsque nous sommes rentrées du parc, Sushi, le siamois de nos voisins, se tenait devant notre porte. Non,

mais, qu'est-ce qu'il faisait là ?! Dès qu'il a aperçu Cannelle, il a fait le gros dos en hérissant son poil. Puis, il a craché. Ma chienne s'est mise à aboyer en tirant comme une folle sur sa laisse. Poussant un cri de guerre (un atroce miaulement), Sushi a sauté du perron et a détalé comme un lapin. Bon, il fallait s'y attendre. Le chat d'à côté sera l'ennemi juré de Cannelle... Au moins, elle ne se laissera pas faire !

13 h 17. J'ai préparé la chambre d'amis pour Marie-Ève et moi. Depuis que Caro a aménagé dans ma chambre, il n'y a plus assez de place pour installer un matelas gonflable à côté de mon lit. Et puis comme ça, ma *best* et moi, on sera tranquilles pour papoter, ce soir. Je suis descendue au sous-sol avec des draps propres (et Cannelle sur les talons !). Cher journal, je t'avoue que je n'ai pas pu m'empêcher de regarder sous le lit. Tu crois que c'était pour vérifier qu'il n'y avait pas d'araignées ? En fait, c'était surtout pour m'assurer que monsieur Yamamoto ne s'y planquait pas, même si je sais que c'est impossible, vu que le client de papa se trouve à l'autre bout du monde. Rassurée, j'ai fait le lit.

19 h 15. Marie-Ève se fait couler un bain. Moi, cher journal, j'en profite pour t'écrire ce qui s'est passé cet après-midi. Lorsque mon amie a sonné à la porte, tout à l'heure, Cannelle a aboyé.

Je me suis précipitée pour ouvrir. Apercevant la chienne à mes côtés, ma meilleure amie a ouvert bien grand les yeux.

– Qu'est-ce que ce chien fait ici ? Il est à vous ?

Je lui ai répondu fièrement :

– Je te présente ma chienne Cannelle !
– WOUF ! WOUF ! a fait la principale intéressée, comme si elle tenait à saluer ma meilleure amie.
– Ohhh, qu'elle est *cuuute !* s'est extasiée Marie-Ève en caressant son pelage. Mais… je croyais que ta mère ne voulait plus d'animaux ?
– C'est vrai. Ça a été dur de la convaincre ! Finalement, la gentille Cannelle a fait fondre son cœur.
– Tu l'avais vue dans une animalerie ? Ou vous êtes allés la chercher à la SPCA ?
– Ni l'un ni l'autre. C'est une longue histoire… Montons. Je vais te la raconter.

En entrant dans ma chambre, Marie-Ève s'est exclamée :
– Hein ?! Comment se fait-il que le galet turquoise est sur ta table de chevet ? C'est pourtant Africa qui l'avait emporté chez elle, le soir de la fête chez monsieur Gauthier !

Décidément, il s'en était passé des choses depuis la dernière fois qu'on s'était vues. Je lui ai raconté la surprise qu'Afri m'avait faite.
– C'est cool ! Tu dois être contente, Alice. Car tu y tenais, à ce galet !

Puis, changeant de sujet, Marie-Ève m'a questionnée :
– Tu ne m'avais pas dit que tu allais redécorer ta chambre pendant les vacances ?

Un peu gênée, j'ai jeté un coup d'œil à l'éternel papier peint couvert d'agneaux caracolant au milieu des arcs-en-ciel… J'ai répondu à mon amie :

– Tu as raison. Papa m'a promis que, dès mon retour de Belgique, on s'y mettrait. Si tu savais comme j'ai hâte d'avoir des murs turquoise !
– Comme ton galet ?
– Oui, exactement de la même couleur. Enfin, il reste encore à convaincre Caro. Parce qu'elle voudrait une chambre rose cochon.
– Rose cochon ?! a répété Marie-Ève, éberluée.
– Eh oui…, ai-je soupiré. Mais, comme tu t'en doutes, c'est hors de question !

Il y a des moments comme celui-ci où je sens que ma meilleure amie se réjouit d'être enfant unique, cher journal…

Ouvrant son sac de voyage qui contenait ses vêtements et sa trousse de toilette, Marie-Ève en a sorti un paquet.
– Tiens, Alice, c'est pour toi ! Un petit quelque chose de léger à glisser dans ta valise.
– Oh, merci !

J'ai déchiré l'emballage cadeau. Sous le papier de soie fuchsia, mes doigts ont tâté un tissu souple. Il était argenté… Le tee-shirt de Lola Falbala !
– Quoi ?! Quand ?! Comment ?! me suis-je écriée, émerveillée.

Marie-Ève était fière de son coup ! Elle m'a tout expliqué :
– Je n'espérais plus le recevoir, ce fameux tee-shirt. Imagine ma surprise, hier soir, lorsque, rentrant de chez mon père, j'ai trouvé l'enveloppe matelassée sur mon lit, à Laval ! Selon ma mère, le facteur l'avait déposée le matin même dans notre boîte aux lettres.

– Pourquoi me le donnes-tu ? Il est trop petit pour toi ?
– Pas du tout. Mais tu es ma meilleure amie, oui ou non ? Tu étais tellement déçue, le mois dernier, de ce qui était arrivé à ton tee-shirt de Lola Falbala. Alors, au moment de me coucher, hier, j'ai eu une illumination. J'allais t'offrir le mien ! C'est ma façon de te souhaiter de bonnes vacances en Belgique. Comme ça, tu penseras à moi là-bas chaque fois que tu le porteras.
– Tu sais bien que même sans ça, je penserai à toi, ma chère ! Mais ça me fait super plaisir. Merci ! Merci ! Merci ! Tiens, moi aussi, j'ai une idée. Ce tee-shirt, on se le partagera. Je te le passerai quand tu voudras. Pour le concert de Lola Falbala, par exemple.

(Sniff ! Ce fameux concert du 20 août… Chaque fois que j'y songe, je suis TROP frustrée. Quel dommage de ne pas avoir le droit d'y assister, moi aussi…)

Marie-Ève = ma best pour la vie !

PROMESSE

Ce t-shirt de la 2e chance, je jure d'y faire HYYYPER ATTENTION. Je ne veux pas qu'il lui arrive une catastrophe, à lui aussi. Alors, j'ai décidé de le laver et de le faire sécher moi-même, à plat sur une serviette comme l'étiquette l'indique. Je demanderai à madame Baldini de me montrer comment faire. Car je ne fais plus confiance à maman (du moins pour mon tee-shirt de Lola Falbala).

J'ai montré à Marie-Ève mes achats en prévision des vacances. Elle adore mon bikini et mon tee-shirt *Snoopy.* Ensuite, elle a changé de sujet :
– Je ne sais toujours pas comment la belle Cannelle a atterri dans ta famille !
– Si on allait au dépanneur ? Je te raconterai ça en chemin.

En marchant, j'ai fait le récit de notre séjour en camping. Et de la façon dont la chienne avait croisé notre chemin.

Devant le dépanneur, j'ai tendu mon billet de 5 $ à Marie-Ève. Je lui ai dit :
– Il est interdit d'entrer avec un chien. Alors, Cannelle et moi, on t'attend ici. Peux-tu me prendre du Citrobulles, s'il te plaît ? Toi, choisis ce dont tu as envie.

En sortant, mon amie a annoncé :
– Ils ont le tout nouveau numéro du *MégaStar* ! Avec Lola Falbala en couverture. Je ne sais pas si ma mère l'a déjà reçu. J'étais tellement excitée de découvrir le tee-shirt argenté, hier, que j'ai oublié de lui en parler. Bref, je viens de feuilleter le magazine. Il contient un supplément consacré à Lola. Avec plein de super photos. Si tu veux, je te le prêterai au mois d'août.
– Merci, Marie-Ève. Ou, mieux encore, je pourrais le lire lundi dans l'avion !

Considérant la monnaie qu'elle m'avait rendue, je me suis ravisée :
– Oups… Il ne me reste plus assez de sous pour acheter le *MégaStar.*

J'ai plongé une paille vert fluo dans ma canette de Citrobulles. Mmm... que c'était rafraîchissant ! L'été, c'est vraiment LA SAISON DU CITROBULLES, cher journal !

– Et Karim ? m'a demandé Marie-Ève en ouvrant son paquet de gommes fraise-vanille. Tu as de ses nouvelles ?
– Non, pas encore. Il m'avait dit qu'il passerait ses deux premières semaines de vacances au Liban, dans le village de ses grands-parents. Ensuite, il ira à Beyrouth. Il a promis de m'écrire, mais je ne recevrai peut-être pas de lettre avant mon retour de Belgique...

Bon, Marie-Ève vient ENFIN de sortir de la salle de bain. Je vais prendre une douche rapide, puis on descendra toutes les deux dans la chambre d'amis. Ou plutôt, toutes les trois. Car on emmène Cannelle en bas. Bonne nuit, cher journal !

Dimanche 11 juillet

9 h 58. C'est demain que je pars en Belgique. Ça me semble incroyable ! Maman m'a apporté les cadeaux à distribuer :

- 3 boîtes de sirop d'érable pour sa mère à elle (en effet, mamie Juliette en raffole) + 1 beau cadre avec les photos de ses 3 petites-filles de Montréal (c'est-à-dire Zouzou, Caro et moi) ;
- le tee-shirt pour Lulu ;
- celui pour Quentin ;
- le guide sur New York destiné à tante Maude.

Papa a monté la valise rouge dans ma chambre. Je l'ai ouverte à côté de mon lit. Comme oncle Alex, grand-papa et grand-maman arrivent cet après-midi, j'ai décidé de faire mes bagages maintenant. Marie-Ève a mis de la musique qu'elle avait téléchargée sur son iPod. Elle va m'aider. Oh ! pendant que j'avais le dos tourné, Zouzou a grimpé dans la valise. Elle est trop mignonne !

19 h 23. Pause bain moussant pour Marie-Ève. Moi, c'est dans mon cahier jaune que je me plonge. Ce matin, je venais de placer le tee-shirt de Lola Falbala sur mes autres vêtements rangés dans ma valise (pour ne pas le froisser !), quand moumou est arrivée avec un tube de crème solaire. Elle m'a répété combien il était important de s'en enduire toutes les 90 minutes : « … d'autant plus qu'avec un teint clair comme le tien et le mien, Biquette, on a tendance à attraper des coups de soleil. » Comme si je ne le savais pas, cher journal, que je deviens rouge comme un homard bouilli au moindre rayon de soleil. Pfff… Jetant un coup d'œil admiratif à Marie-Ève (qui, elle, était déjà joliment dorée), j'ai grogné :

– Je sais. De toute façon, mamie sera là.

GRRR…

– Justement…, a répondu maman, pensive.

– Quoi, tu ne fais pas confiance à ta propre mère ?!

– Oui, bien sûr, mais elle est distraite.

Ah ! ce gène de la distraction qui se transmet de mère en fille, dans notre famille…

Moumou s'est écriée :

– Zut, des lunettes de soleil ! Voilà ce qu'on a oublié de t'acheter, l'autre jour, au centre commercial. Tu demanderas à mamie Juliette d'aller en choisir avec toi.
– Oui, oui.

Maman a insisté :

– C'est important non seulement d'en avoir, mais aussi, de les porter. Je compte sur toi, Alice. La protection des yeux, il ne faut pas prendre ça à la légère. À l'université, j'ai connu un étudiant qui est devenu aveugle.
– Parce qu'il n'avait pas de lunettes fumées ? ! s'est exclamée Marie-Ève.
– Exactement, a répondu moumou. Au cours d'un séjour de ski dans les Alpes, il a oublié un matin de porter ses lunettes. En se reflétant sur la neige, le soleil l'a ébloui toute la journée. Malgré cela, il a continué à skier avec ses amis. Le lendemain, à son réveil, il ne voyait plus rien. Il avait perdu la vue.
– C'est affreux…, a commenté mon amie, impressionnée.

Moi, j'ai protesté :

– Je ne pars pas skier ! Il n'y a tout de même pas de neige en Belgique au mois de juillet ? ! ! !
– Bien sûr que non, Alice. Mais tu me comprends.

Ma mère me fait parfois penser à Catherine Frontenac. En effet, CF connaît toujours quelqu'un à qui il est arrivé un truc invraisemblable. Du style : devenir aveugle pour la simple raison d'avoir oublié ses lunettes de soleil, par exemple ! Ça, il faut quand même le faire !

Dans le sac à dos que j'emporterai dans l'avion, j'ai rangé un chandail, mon portefeuille, mes papiers (passeport et billet d'avion), un petit carnet avec l'adresse de mes amies (et de Karim !), un stylo à bille, ainsi qu'un paquet de gommes. Demain, il ne me restera qu'à ajouter mon cahier jaune. Car je compte bien poursuivre mon journal intime en Belgique. J'ai d'ailleurs collé un *post-it* sur mon sac à dos : NE PAS OUBLIER MON CAHIER JAUNE !

Oncle Alex est arrivé en après-midi. Toujours aussi bronzé (le chanceux !), il a gardé la boule à zéro, comme il dit. En fait, il a encore le crâne rasé. Une des nombreuses choses qui m'impressionnent à propos de lui, c'est qu'il apprend à compter jusqu'à 10 dans toutes les langues des pays qu'il visite. Il sait déjà réciter 1, 2, 3, 4, 5, 6, 7, 8, 9, 10 dans une quinzaine de langues !

– Comment compte-t-on en mexicain ? lui a demandé ma sœur.

– Au Mexique, on parle l'espagnol, a-t-il précisé. Connaître l'espagnol est très utile ! En effet, c'est la langue officielle de 21 pays à travers le monde. Moi, je l'ai étudiée au secondaire, puis pendant un été en Espagne. Depuis, j'ai séjourné plusieurs fois en Amérique latine et je parle couramment cette langue. Bon, vous voulez apprendre à compter en espagnol ? Répétez après moi : *Uno, dos, tres...*

C'est ce que Caroline, Marie-Ève et moi, on a fait. Mais pour être sûre, cette fois, de ne pas oublier, j'ai insisté auprès de mon oncle pour qu'il écrive ces chiffres (en toutes lettres) sur un bout de papier. Je les recopie donc ici :

Uno, dos, tres
Cuatro, cinco, seis
Siete, ocho, nueve, diez

On dirait une comptine, tu ne trouves pas, cher journal? Ça ressemble un peu au français. En tout cas, c'est beaucoup plus facile à retenir que les chiffres arabes.
– C'est normal, m'a expliqué mon oncle. L'espagnol, comme le portugais et l'italien, fait partie de la même famille de langues que le français. Ce sont des langues romanes.

Les grands-parents sont arrivés. Ils se sont d'abord précipités pour embrasser leur fils Alex qu'ils n'avaient pas revu depuis son retour du Mexique. Ensuite, grand-maman m'a serrée sur son cœur en s'exclamant:
– Et toi, ma belle Alice, je suis bien contente de te voir avant ton départ pour Bruxelles!
– Quelle famille de voyageurs! a commenté grand-papa, le sourire aux lèvres.
– Moi, en tout cas, a déclaré Caro, j'ai hâte d'avoir 10 ans et 11 mois!
Marie-Ève lui a demandé pourquoi.
– Pour voyager seule en avion, comme Alice.
Au début, ma sœur était verte de jalousie à l'idée que je parte sans elle chez mamie. Heureusement, au fil des jours, sa jalousie s'est dissipée. Il faut dire que:
☺ À sa grande fierté, ce sera elle la « responsable » de Cannelle, pendant mon absence.
☺ Mes grands-parents paternels l'emmènent mardi chez

eux, à Covey Hill. Avec notre chienne ! Grand-papa a promis à Caro de l'amener voir des animaux d'Afrique au Parc Safari d'Hemmingford. (Pendant ce temps, grand-maman restera à la maison avec Cannelle.)

☺ Caroline verra elle aussi mamie Juliette. En effet, le 30 juillet, ma grand-mère belge atterrira avec moi à Montréal. Elle passera plus d'un mois chez nous.

☺ Mamie a promis à ma sœur que, quand elle aura mon âge, elle l'invitera à son tour, toute seule, à Bruxelles. Connaissant Caro, elle va faire le décompte des jours lonnnnnngtemps à l'avance !

Pour le souper, papa avait préparé du poulet BBQ. On a mangé dehors, sur la terrasse. Oncle Alex a tendu les bras à Zoé, qui ne les a plus quittés. Assise sur ses genoux, elle se retournait de temps en temps et le regardait d'un air émerveillé. Notre mini-sœur est elle aussi tombée sous le charme de notre oncle !

– Comment avance ton livre sur le tofu ? a demandé Alex à moumou.

– Très bien, merci ! Je voudrais le finir d'ici la fin août. Car lorsque je recommencerai à travailler, je n'aurai plus beaucoup de temps à consacrer à *Tofu tout fou* !

À cet instant, j'ai réalisé qu'en étant absente 18 jours, j'échapperai à une série de plats à base de tofu… Ça fera du bien à mon estomac. Mais pauvres Caro et poupou ! Je les plains un peu.

Bon, Marie-Ève vient d'émerger de la salle de bain, toute fraîche. (Je devrais plutôt dire *toute fraise* grâce à son bain moussant.) Je te laisse pour aller me laver à mon tour, cher journal. Je sens que je vais dormir comme un loir, cette nuit. Tant mieux, parce que la nuit d'après, je la passerai à bord de l'avion.

Mmm, ça sent bon!

Lundi 12 juillet

Jour J! On y est ENFIN! Tralala youpi!

Ce matin, on avait rendez-vous chez le vétérinaire avec Cannelle. Après l'avoir examinée, il nous a déclaré qu'elle avait environ trois ans. « Trois ans! ai-je pensé. Comme Grand-Cœur quand il est mort! » Pendant que le vétérinaire préparait le vaccin qu'il allait administrer à ma chienne, je lui ai demandé:

– Elle n'a pas de maladie cardiaque, au moins?

– Pourquoi me poses-tu cette question?

– Parce que mon chat, lui, est mort du cœur. Je ne voudrais pas qu'il arrive la même chose à ma chienne!

Le vétérinaire, qui se souvenait de Grand-Cœur, a placé son stéthoscope sur la poitrine de Cannelle. Ensuite, il m'a fait un large sourire.

– Elle est en pleine forme et devrait vivre très longtemps!

– Cannelle est de quelle race ? a demandé Marie-Ève au vétérinaire.
– Il s'agit d'un croisement, a-t-il répondu. Peut-être entre un terrier et un griffon. Les chiens qui ne sont pas de race pure sont souvent plus résistants que les autres.

Quelle chance !

18 h 01. Me voici maintenant à l'aéroport, cher journal. Je viens d'arriver dans la salle d'embarquement. L'agente de bord qui s'est occupée de moi dès l'instant où j'ai dû laisser papa, Caro et Marie-Ève au contrôle des douanes, m'a invitée à m'asseoir ici. Tous les gens qui s'installent sur les sièges voisins s'envoleront avec moi vers Bruxelles à 19 h 25. J'ai sorti le cahier jaune de mon sac à dos. Je te raconte donc ce qui s'est passé cet après-midi. Maman avait choisi de ne pas nous accompagner à l'aéroport. Elle m'a avoué qu'elle préférait me dire au revoir à la maison plutôt que devant tout le monde. À l'heure de la sieste de Zoé, c'est moi qui l'ai prise dans mes bras. Après avoir couvert de bisous son petit crâne encore presque chauve, je l'ai déposée dans son lit à barreaux.
– Bye-bye, Zouzou ! lui ai-je dit. Beau dodo ! Lorsque tu te réveilleras, je ne serai plus là. Je serai chez mamie. Mais je penserai à toi, là-bas. Et puis, on se reverra à la fin du mois !

Lorsque le moment de partir est arrivé, maman m'a demandé d'une drôle de petite voix :
– Tu embrasseras bien mamie de ma part, Biquette ?

– Bien sûr.
– Tu lui diras que j'ai hâte de la voir ! Et tu n'oublieras pas de rapporter des spéculoos.
– Promis, ma petite moumou que j'aime et que j'adore !

Papa, qui descendait le perron avec ma valise, s'est retourné. Il a ajouté :
– Pour moi, pas de spéculoos mais du chocolat !

Ouvrant le coffre de notre mini-fourgonnette, il y a déposé mon bagage.
– On y va, les filles ! nous a-t-il lancé, à Caro, Marie-Ève et moi.

Ma sœur et mon amie l'ont rejoint dans le véhicule tandis que grand-maman Francine et grand-papa Benoît m'embrassaient avec effusion.
– Bon séjour en Belgique, ma belle Alice ! À bientôt !

À son tour, maman m'a serrée dans ses bras. Lorsqu'elle m'a relâchée, elle avait les yeux pleins d'eau. Surprise, j'ai constaté :
– Tu pleures ? !

Elle a haussé les épaules tout en me souriant avec une infinie douceur. On aurait dit qu'elle était incapable de parler. Après m'avoir lancé un dernier bisou du bout des doigts, elle s'est engouffrée dans la maison. Grand-maman m'a expliqué :
– Ta maman est très heureuse pour toi, Alice. Mais, en même temps, elle est émue, et je la comprends. Voir partir sa grande fille chérie pour la première fois toute seule,

c'est quelque chose ! Ne t'en fais pas pour elle. Tout ira bien. Va vite, maintenant. Ton papa t'attend. Bon voyage, ma chouette !

Une fois à l'aéroport, alors qu'on faisait la file pour enregistrer ma valise, Marie-Ève m'a demandé :
– Tu n'as pas peur de partir seule en avion ?
– Non, vraiment pas. J'ai déjà fait ce trajet plusieurs fois avec mes parents. Les jeunes qui voyagent sans leurs parents sont accompagnés par un agent de bord. Et ma mamie m'attendra à l'aéroport de Zaventem. Tu t'imagines, Marie-Ève ? Ça fait presque 11 mois que je ne l'ai pas vue !
– Vous n'utilisez pas Skype pour vous parler et même vous voir ?
– Oui, bien sûr, mais c'est pas la même chose… Dis, tu dois avoir hâte de partir en vacances, toi aussi ?

Mon amie passera en effet quelques jours à la mer, dans le Maine, avec sa mère. Ensuite, elle séjournera à son camp d'équitation. Puis, elle retournera à Ottawa, chez son père. Bref, on ne se retrouvera qu'à la mi-août !

L'agente de bord est arrivée. C'était le moment des adieux. Que d'émotions ! J'ai embrassé mon père, ma sœur et ma meilleure amie. On s'est encore fait des signes jusqu'au moment où j'ai franchi la porte des douanes. J'ai dû poser mon sac à dos sur un tapis roulant, puis je suis passée sous le portique qui détecte les métaux. Ouf, ça n'a pas sonné. Après avoir récupéré mon sac, mon accompagnatrice m'a conduite dans la salle d'embarquement. Bon, il reste un peu de temps avant de monter dans l'avion. J'ai une idée. Juste en face, on vend des magazines. J'aimerais trouver le *MégaStar* dont m'a parlé Marie-Ève, avant-hier. Cette fois, j'ai de quoi le payer. Grand-papa m'a donné un billet de 20 $.

19 h 08. Me voilà de retour. J'ai immédiatement repéré le *MégaStar*. Sur la couverture, il y avait une super photo de ma chanteuse préférée. Le titre annonçait : *Le phénomène Lola Falbala*. Cool ! À la caisse, le jeune homme m'a rendu la monnaie en me souhaitant « Bon voyage ».

– Merci et à vous aussi, ai-je répondu poliment… avant de réaliser que la distraction avait encore frappé.

Gênée, je me suis vite éloignée. L'agente de bord derrière le kiosque d'embarquement vient de lancer un message. On se prépare à embarquer ! La prochaine fois que je t'écrirai, cher journal, je serai à bord de l'avion ! À +.

20 h 15. J'occupe le siège 16 A, à côté du hublot. Je venais de m'asseoir et de sortir le *MégaStar* quand un Asiatique, muni d'un masque de protection contre les microbes, s'est arrêté à ma hauteur. Monsieur Yamamoto ! Oh non ! Mon sang s'est glacé dans mes veines. Je me suis dissimulée derrière mon magazine, comme si j'étais captivée par ma lecture, tandis qu'il s'installait à côté de moi sans me saluer. Ce passager masqué s'est mis à travailler sur son iPad.

Le cœur battant, je l'ai observé à la dérobée. Finalement, je me suis dit que je m'étais sans doute trompée. En effet :

- Ce type paraît un peu plus grand que monsieur Yamamoto.
- Il porte une eau de toilette plus discrète que celle du client japonais de mon père.
- Si monsieur Yamamoto était revenu à Montréal, papa aurait sûrement été au courant et nous en aurait parlé.

Bref, je suis presque convaincue que ce n'est pas lui qui occupe le siège 16 B. Avec son masque qui cache une partie de son visage, pas moyen cependant d'en être sûre à 100 %. Au moins, ce voisin fait comme si je n'existais pas. Tant mieux ! Je vais faire pareil. Bon, on s'apprête à décoller. On nous demande de redresser la tablette devant soi et d'attacher notre ceinture. Je te reviens une fois qu'on sera dans le ciel, cher journal !

20 h 54. On nous a offert des chips et un apéro. Derrière le hublot, le soleil se couchait. Un verre de Citrobulles à la main, je me suis plongée dans le *MégaStar* (pour de vrai, cette fois !). Au centre du magazine, une affiche était agrafée. La détachant délicatement, je l'ai dépliée. WOW ! Un super poster de Lola Falbala ! Vêtue d'un bikini argenté scintillant, elle semblait émerger de la mer, faisant jaillir mille gouttelettes autour d'elle. L'eau était turquoise… Hyper cool pour décorer ma future nouvelle chambre ! J'ai pensé à madame Baldini qui dit parfois en italien : « *La vita è bella !* »
En effet, la vie est belle, cher journal.
Elle pétille comme du Citrobulles !

22 h 31. Tout à l'heure, on nous a servi le repas. (Au menu : du poulet avec une sauce indienne et du riz, et une crème au chocolat sans tofu !) Comme boisson, j'ai repris deux fois du Citrobulles. Autant en profiter ! Tout en mangeant, j'ai commencé à regarder *Kung Fu Panda 2.*

Le film terminé (j'ai adoré, encore plus que le 1), j'ai ressorti mon journal intime. Je viens de jeter un coup d'œil par le hublot. Il fait tout noir, dehors. J'ai ressenti un pincement à l'estomac en pensant à ma famille (sans oublier ma petite Cannelle). À l'heure qu'il est, ils doivent dormir en sécurité au 42, rue Isidore-Bottine. Je me sens soudain *très* seule. Et si notre avion tombait en panne au-dessus de l'océan Atlantique ? Ou s'il y avait des terroristes à bord, prêts à nous faire exploser en plein vol ? Non, il ne faut pas que je panique. Le moteur de l'avion ronronne paisiblement. À part ça, tout est silencieux. La plupart des passagers dorment dans la pénombre. Je me souviens avoir déjà entendu qu'on a beaucoup moins de risque de mourir dans un accident d'avion qu'en voiture. C'est rassurant. Et, quand j'y pense, je ne me trouve pas seule, à 10 000 mètres d'altitude. Tu es là avec moi, mon fidèle journal. La fatigue m'envahit tout à coup. Alors, bonne nuit.

Mardi 13 juillet

0 h 45. Zut, il fallait m'y attendre ! Avec tout ce Citrobulles, j'ai été réveillée par une urgence pipi. Enroulé dans

sa couverture, mon voisin me tournait le dos. Il devait dormir, tout comme la passagère du siège 16 C. Il y a si peu d'espace dans un avion que jamais je ne serais parvenue à les enjamber. Je devais absolument les réveiller. Doucement, j'ai effleuré le bras du monsieur asiatique.

– *What ?* a-t-il grogné en se tournant brusquement vers moi.

HAAAAAA !

J'ai poussé un de ces hurlements ! ! ! Son visage était couvert par 2 masques ! Au-dessus du masque bleu contre les microbes que l'homme portait déjà tout à l'heure et qui couvrait sa bouche et son nez, il y avait un masque noir sur ses yeux ! Je me suis pincée. Mais je ne rêvais pas. Je ne regardais pas non plus un film où des momies se réveillent… Cette vision d'horreur se passait dans la VRAIE vie ! Mon voisin, qui avait relevé son masque en visière, me dévisageait. Un agent de bord est arrivé. J'étais tellement gênée d'avoir crié que j'ai prétendu avoir fait un cauchemar. En vérité, c'était bel et bien un cauchemar, mais éveillé. J'ai fait signe à mon voisin que je voulais me lever. En soupirant, il a tourné ses genoux pour me céder le passage.

L'avion entame maintenant sa descente. Je commence à avoir mal aux oreilles. Comme me le dirait moumou si elle était à mes côtés, il faut chiquer de la gomme et avaler sa salive. Je glisse donc une gomme à la pomme verte dans ma bouche, puis je me mets à mâcher, mâcher, mâcher. Si Cruella, ma prof d'anglais, était ici, elle me reprocherait de ruminer, comme elle l'a fait une fois en classe. Mais j'ai beau mastiquer et avaler, ça ne me soulage pas. Les fois où je suis allée à Bruxelles en famille, ça m'est déjà arrivé d'avoir mal aux oreilles. Mais jamais autant. On dirait que mon oreille gauche va exploser ! Une agente de bord a dû remarquer à ma tête que ça n'allait pas, puisqu'elle s'approche et me demande :

– As-tu besoin d'aide ?

– J'ai TRÈS mal aux oreilles.

– Attends ! me dit-elle. Je reviens.

Elle est partie dans l'allée. Mais elle a dû m'oublier, car elle n'est toujours pas de retour. Je consulte ma montre dont je n'ai pas encore avancé l'heure : il reste encore un quart d'heure avant l'atterrissage. Jamais je ne tiendrai jusque-là. J'ai si mal, cher journal, que j'en ai les larmes aux yeux. Du coup, je ne vois plus grand-chose. Bye !

1 h 24. Deux minutes plus tard, l'agente de bord est finalement réapparue, un verre en styromousse à la main. Elle m'a proposé un truc :

– Applique-le contre ton oreille. Comme ceci.

Et elle a approché le verre de sa propre oreille pour me montrer comment faire. Puis, me le tendant, elle a expliqué :

– Il contient un mouchoir en papier sur lequel j'ai versé quelques gouttes d'eau bouillante. La vapeur te fera du bien.

Sceptique, j'ai tout de même suivi son conseil. À dire vrai, mon voisin et moi, on formait une belle paire ! Lui, avec son visage caché sous les masques, et moi, avec mon verre sur l'oreille. Trop **BIIIZARRE !** Je m'apprêtais à ôter ce gobelet ridicule quand j'ai ressenti une diminution de la pression à l'intérieur de mon oreille. Ma parole, ce truc fonctionnait ! À présent, je plaque le verre contre mon oreille pour profiter de sa bienfaisante chaleur humide. La douleur a disparu. Incroyable, mais vrai ! Bon, je te laisse, cher journal, car on nous demande de relever notre tablette en vue de l'atterrissage. Par le hublot, j'aperçois des champs et des maisons : c'est la Belgique ! ! ! Même si c'est la nuit au Québec, ici, il est 7 h 36 du matin et le soleil brille !

18 h 55 (heure belge). Cher journal, je t'écris de ma chambre, chez mamie. À côté du lit superposé, il y a un bureau et un ordi. C'est là que je suis installée. Je m'apprête à me coucher, car je suis morte de fatigue. (J'ai à peine dormi 2 heures, cette nuit !) Mais je voulais juste te dire que ce matin, on a bien atterri. L'agente de bord m'a accompagnée pour passer la douane et chercher ma valise. On a franchi une porte. Derrière une barrière, un attroupement attendait les voyageurs. J'ai entendu :
– Alice !

J'ai repéré l'homme qui m'avait appelée. Non seulement je ne le connaissais pas, mais mamie n'était pas avec lui. L'inconnu en question avait l'air ravi de me voir et me faisait de grands signes. (???) Il s'est frayé un chemin à travers la foule pour venir m'accueillir. Inquiète, je me suis tournée vers l'agente de bord qui marchait à mes côtés en tirant ma valise. À cet instant, la passagère qui nous suivait nous a dépassées en courant. Elle s'est jetée dans les bras de l'homme. Tout s'éclairait : cette jeune femme devait s'appeler Alice, elle aussi ! Et elle venait de retrouver son amoureux. Fiouuu…, j'étais soulagée.

C'est alors qu'une ado aux longs cheveux blonds s'est précipitée vers moi pour m'embrasser. Et elle, je la reconnaissais : c'était ma cousine Lulu ! Quelle belle surprise ! Je ne savais pas qu'elle accompagnerait mamie à l'aéroport. Tante Maude et Quentin étaient là aussi !

À titre d'information, cher journal :

☺ Lucie (alias Lulu) a 14 ans et 1/2. Elle a de jolies fossettes quand elle rit. Et elle rit souvent.

☺ Quentin a 13 ans. Il a des cheveux blonds, lui aussi, et porte sa casquette 24 h/24 (ou presque).

☺ Maude Vermeulen ressemble à sa sœur Astrid, avec des cheveux châtain clair plutôt que blonds. Elle est un peu plus grande que maman et moins mince qu'elle. Elle est super gentille, elle aussi. Et distraite (mais moins que moumou, ce qui n'est pas difficile à battre !).

☺ Mamie Juliette a des cheveux gris super bien coupés (très « mode » pour ses 65 ans). Elle est vraiment cool. Elle s'habille souvent en jeans et en baskets. Elle habite un appartement au 3e étage, dans une rue tranquille. De la fenêtre de sa chambre, on aperçoit l'Atomium. Chez elle, il y a des piles de livres (pas étonnant, elle est bibliothécaire) et des plantes partout. Mamie n'est pas obnubilée par le bazar (c'est pas comme sa fille Astrid !).

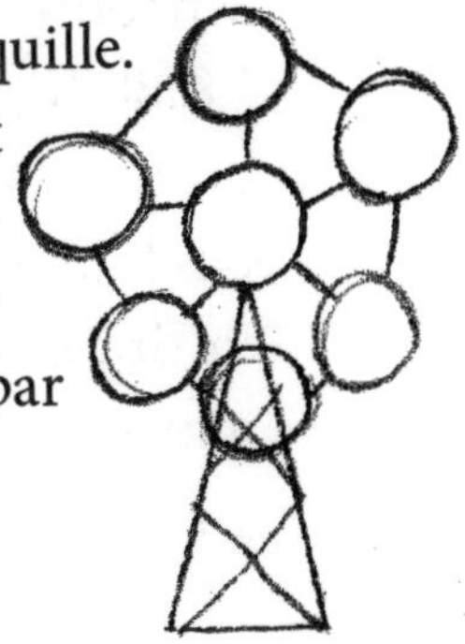

Bon, même si je bâille à me décrocher la mâchoire, j'ai envie de te poser quelques devinettes avant d'aller au lit :

? Sur quel continent se trouve la Belgique ? En Europe, bien sûr !

? La Belgique est-elle aussi grande que le Canada ? Vraiment pas ! Sur la carte du monde, ce pays a l'air carrément riquiqui. Mais, comme l'a dit un jour le roi Léopold II, un pays baigné par la mer n'est jamais petit.

? Bruxelles est-elle une ville comme les autres ? Non, c'est la capitale de la Belgique, et aussi de l'Europe.

? Quelle est la distance entre Bruxelles et Montréal ? Environ 5 500 km.

Sur ces belles paroles, cher journal, je file au dodo. Bon, une ultime devinette : où vais-je dormir, sur le lit du dessous ou du dessus ? En haut, comme à chaque séjour chez mamie ! Je sens que je vais y faire de beaux rêves.

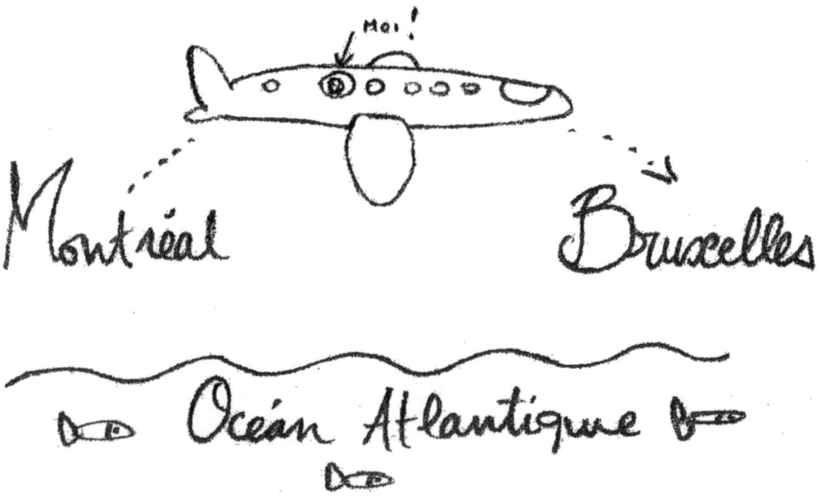

Mercredi 14 juillet

Ce matin, lorsque j'ai ouvert les yeux, ils se sont posés sur le plafond, juste au-dessus de moi. Un instant, je me suis demandé où je me trouvais. Puis, je me suis rappelé que j'étais à Bruxelles. Super ! J'ai descendu l'échelle du lit superposé. En ouvrant la porte de ma chambre, j'ai senti une bonne odeur de café. J'ai rejoint ma grand-mère dans la cuisine. Elle lisait le journal.

– Bonjour, mamie !

– Oh, bonjour, Alice ! Tu as dormi 14 heures d'affilée, ma cocotte ! Je t'ai attendue pour déjeuner.

Sur la table, il y avait le sirop d'érable que j'avais offert à ma grand-mère, du beurre, du sirop de Liège, des petits suisses, du fromage de Hollande et du cramique (yé !) que mamie avait acheté à la boulangerie du coin.

– Merci ! lui ai-je dit en humant l'odeur appétissante du pain aux raisins.

Sur une tranche, j'ai étalé une fine couche de beurre, puis du sirop de Liège. En mordant une première bouchée, je n'ai pu m'empêcher de laisser échapper un « mmm... » de satisfaction. Si Catherine Provencher, l'élève la plus gourmande de ma classe, connaissait le cramique, elle craquerait, c'est certain. Je gage même qu'elle déménagerait en Belgique. Pas seulement pour le cramique, mais aussi pour les autres spécialités :

- Le craquelin : un autre pain, moelleux et savoureux, avec des morceaux de sucre à la place des raisins secs.

- Les pistolets : quand on demande des pistolets dans une boulangerie belge, on ne vous dévisage pas comme si vous étiez un fou dangereux. On vous emballe tout simplement des petits pains ronds, avec une croûte ultra-fine et de la mie très légère. On coupe le pistolet en deux et on tartine l'intérieur de beurre. Si Jonathan Vadeboncœur apprenait que j'adore les pistolets, il prendrait un air réjoui. Il brandirait en l'air la banane de sa collation et, PAW ! PAW !, il ferait semblant de tirer des coups de feu. Moi, je n'aime pas les armes qui blessent et qui tuent. Mais les pistolets belges fabriqués par le boulanger, ça oui !
- Les petits suisses : en Belgique, il ne s'agit pas, comme au Québec, de rongeurs trop mignons, plus petits que des écureuils, avec des bandes rayées sur le dos. Non, les petits suisses, on les achète par paquet de 6 pots au supermarché. Ce sont des mini-fromages frais cylindriques en format individuel. On tapote le pot de petit suisse au-dessus de son assiette et poum ! il tombe. Puis, on déroule le papier qui l'emballe, on le saupoudre d'un peu de sucre et le déguste à la cuiller.
- Le fromage de Hollande : on en dépose une tranche sur du pain beurré et le tour est joué. Ce fromage est fabriqué aux Pays-Bas, le pays situé au nord de la Belgique.
- Le sirop de Liège : il est noir et épais, mais il se tartine bien. On le produit à partir de pommes, de poires et de dattes.
- La grenadine : ce sirop rouge aromatise l'eau. En Belgique, il n'y a pas de Citrobulles. Alors, je bois de l'eau pétillante à la grenadine.

- Le chocolat double lait : il fond dans la bouche ! Par contre, en Belgique, on trouve rarement du chocolat à la menthe. Pas grave, j'en mangerai à mon retour. En attendant, je compte bien profiter du chocolat belge !
- Les spéculoos : les biscuits belges préférés de maman. Moi aussi, je les aime.
- La tarte au fromage : elle n'a rien à voir avec le gâteau au fromage qu'on connaît au Québec. C'est un dessert différent, mais aussi bon.
- La tarte au riz : eh oui, cher journal, ça peut sembler étrange, mais en Belgique, on cuisine aussi le riz sous forme de tarte ! miam
- Les frites dorées et croustillantes ! Tante Maude m'a promis qu'on irait manger un cornet de frites, un de ces soirs.

miam miam

Cet après-midi, on est passées chercher Lulu et Quentin. Tous deux portaient le tee-shirt que je leur avais offert, hier. Mamie nous a amenés visiter le Musée Hergé, dédié au créateur de Tintin. Le grand amateur des BD de Tintin, chez nous, c'est mon papa. Il me les a toutes lues quand j'étais petite. J'aimais beaucoup Milou, le chien blanc, ainsi que le Capitaine Haddock, qui utilise des expressions et des injures bien à lui, comme « Bachi-bouzouk » ou « Mille millions de mille sabords ! ». TILT ! Je me rappelle aussi qu'il s'écrie parfois : « Que le grand cric me croque ! » Par contre, je me méfiais de Rastapopoulos, le pire ennemi de Tintin. Bref, je vais recommander ce musée à poupou, la prochaine fois qu'il viendra en Belgique.

On se promenait dans le musée lorsque Quentin a dit :
– Ça me donne envie de revoir *Les aventures de Tintin : Le secret de la licorne.*
– Le film de Spielberg en 3D ? s'est informée tante Maude.
– Oui. Il y a beaucoup plus d'action que dans les bouquins.
– C'est bien ce que je lui reprochais, au film, a rétorqué ma tante. On aurait dit que Tintin était devenu hyperactif. Je préfère les BD.
– Moi, j'aime les deux, a conclu Lulu. Quand le prochain *Tintin* sortira, j'irai le voir avec toi au cinéma, Quentin.

Ces films, je me suis promis de les regarder à Montréal, avec papa, maman et Caroline.

Sur le chemin du retour, Lulu m'a demandé :
– C'est quoi, ta BD préférée ?
– *Les Zarchinuls !* ai-je répondu, sans hésitation.
– Connais pas…, a lâché Quentin.

Je lui ai expliqué :
– Ce sont des bandes dessinées trop rigolotes. On éclate de rire à chaque page !

Mon cousin n'avait pas l'air convaincu. Il ne jure que par *Kid Paddle* et *Game Over.* Mais je suis sûre que s'il découvrait *Les Zarchinuls,* il n'y résisterait pas longtemps. Lulu, elle, attend avec impatience chaque nouvel album de la série *Lou.*
– *Les nombrils* aussi, c'est bon, a-t-elle ajouté. Et les auteurs sont québécois, figure-toi !

Tout à coup, j'ai eu une idée. Une idée coquine. Fière de ma trouvaille, j'ai lancé :

– Tintin, c'est peut-être le diminutif du prénom Quentin !
– C'est possible, a convenu tante Maude.
Lulu a pouffé de rire.
– Hey, frérot, on va t'appeler Tintin !
Le frérot en question lui a fait une horrible grimace. Puis, il a rétorqué :
– T'as pas intérêt, Lucie De Smet ! Si **jamais** tu fais ça, les représailles seront **terribles** !

Tintin = Quentin ? Hi ! hi ! hi !

Heureusement, mon cousin blaguait. En effet, il s'entend bien avec sa sœur. Je dirais même plus : ils sont très complices, tous les deux.

Mamie a déposé ma cousine chez une de ses copines et mon cousin devant chez lui. Je les reverrai après-demain. D'ici là, j'aurai de quoi m'occuper, puisque j'ai trouvé la collection de livres de Tintin de ma grand-mère. Ça m'a donné envie de m'y replonger. Avant de me coucher, je vais lire *Les bijoux de la Castafiore.*

Jeudi 15 juillet

Programme du jour : une SUPER balade en ville !

Après avoir pris un tram puis un bus, on est descendues près de la Cathédrale Saint-Michel et Sainte-Gudule. J'ai signalé à ma grand-mère :
– Un des cochons en peluche de Caroline s'appelle Gudule.
– Ah bon ?!

– Il est turquoise. C'est même toi qui le lui as offert pour son anniversaire.

– Oui, maintenant, je m'en souviens.

Levant les yeux vers cette gigantesque église, j'ai eu le vertige rien qu'à imaginer les ouvriers du Moyen Âge perchés sur leurs échafaudages en bois. Aujourd'hui, on possède l'électricité, des grues et des programmes informatiques sophistiqués pour concevoir et bâtir les édifices. Mais les artisans de l'époque faisaient preuve de beaucoup d'imagination, de talent et d'audace. À mon avis, ils devaient être excellents en calcul. Car, 800 ans plus tard, cette cathédrale tient encore debout.

En sortant de la cathédrale, mamie a déclaré :

– Je t'emmène manger au café *À la Mort Subite.*

Blaguait-elle ? Pas du tout ! C'est vraiment le nom d'un vieux café bruxellois qui se trouve à quelques minutes de là. Avec sa tartine au jambon d'Ardenne, mamie a commandé une bière (qui s'appelle *Mort Subite,* elle aussi !). Et moi, une tartine au saucisson et une grenadine. Après avoir trinqué à nos retrouvailles (« Tchin-tchin ! »), mamie a porté le verre à ses lèvres. Je l'observais, un peu inquiète. En effet, je me méfiais de cette boisson qui portait un nom macabre. Je n'aurais pas voulu que ma grand-mère chérie s'effondre subitement, foudroyée par un poison fulgurant. (En fait, ce serait un super bon sujet de roman policier pour mon autre grand-mère, Francine, qui adore ce genre de livres !) Mais non, après avoir avalé sa première gorgée de bière, mamie Juliette, l'air satisfait, s'est attaquée à sa tartine. Fiouuu…

On a traversé les Galeries Royales Saint-Hubert. Ces belles galeries anciennes ressemblent à des rues bordées de boutiques. À la différence qu'elles sont recouvertes d'une verrière qui diffuse la lumière naturelle. Et qui abrite les passants quand il pleut.
– Oh, des pralines ! ai-je dit, en m'arrêtant devant une vitrine pleine de petits chocolats.

Mamie a proposé qu'on choisisse deux ou trois pralines chacune, en guise de dessert. Je l'ai suivie dans la chocolaterie.
– Lesquelles te font envie, ma cocotte ?

En moi-même, je pensais « TOUTES ! ». En effet, le choix était difficile. Si poupou avait été là, il aurait carrément dévalisé le magasin !

Mamie a payé et on est sorties. On a dégusté nos pralines en flânant dans les galeries. Ensuite, on s'est rendues sur la Grand-Place de Bruxelles.
– Oh, mais où sont les fleurs ?! me suis-je exclamée.
– C'est vrai ! a dit mamie. Quand tu es venue il y a trois ans, la Grand-Place était recouverte d'un immense tapis de fleurs. Ça ne dure que quelques jours. Cependant, tous les deux ans, pour le 15 août, on la décore à nouveau à l'aide d'un demi-million de bégonias.

Le 15 août ! Le jour de mon anniversaire ! Même si, en l'absence de son tapis floral, la Grand-Place était un peu moins spectaculaire que dans mes souvenirs, il y avait un avantage : on pouvait y circuler, ce qui permettait de mieux l'admirer. Cette grande place rectangulaire interdite aux autos pourrait servir de décor à un film historique ! Les maisons, qui datent de plusieurs centaines d'années, sont parfaitement restaurées. Et l'hôtel de ville élève vers le ciel sa tour de pierre finement ciselée. Mamie m'a raconté :

– C'est ici que ton grand-père et moi, nous nous sommes mariés. Il était tellement beau !

Papi Christian est mort d'un cancer depuis plusieurs années, mais sa femme a encore les yeux brillants en évoquant leur mariage. Pas les yeux brillants de larmes, non. Mais brillants d'émotion.

Face à l'hôtel de ville se trouve la Maison du Roi. Ce n'est pas là que vivent le roi Albert et la reine Paola de Belgique. D'après mamie, les souverains habitent un château, non loin de chez elle. Mais sur la Grand-Place, la Maison du Roi, on l'appelle comme ça à cause d'un roi de l'ancien temps qui y avait son bureau. Aujourd'hui, ce bâtiment imposant abrite un musée. On y trouve notamment les habits de Manneken-Pis. Tu ne connais pas le **Manneken-Pis**, cher journal ? C'est le personnage le plus célèbre de Bruxelles ! Son nom, en patois bruxellois, signifie « **Le petit bonhomme qui fait pipi** » ! Eh non, je ne te raconte pas des carabistouilles, comme dirait mamie... Je ne suis pas Patrick Drolet (encore que le bouffon de notre classe se bidonnerait devant lui ! Et, pire, il déciderait peut-être de l'imiter ! Oh, nonnn ! ! !). Blague à part, le Manneken-Pis est une statue qui représente un p'tit gars tout nu soulageant joyeusement sa vessie. (Heureusement, le « pipi » qui coule en permanence est en fait de l'eau, puisqu'il s'agit d'une fontaine !) Bref, mamie et moi, on est passées le voir. On s'est frayé un passage parmi un groupe d'Asiatiques qui voulaient tous le photographier. Mamie m'a dit que le Manneken-Pis existe depuis 600 ans. De temps en temps, on l'habille avec un de ses costumes. Il en a + de 800, paraît-il. (Même Lola Falbala n'a certainement pas une garde-robe aussi garnie !)

Mamie m'a posé une devinette :
– Qu'est-ce qui est 540 fois plus grand que le Manneken-Pis ?
Je n'en savais strictement rien.
– La tour Eiffel ! a répondu ma grand-mère.
À l'âge de 4 ans, je suis allée à Paris, mais je n'en garde aucun souvenir. À part celui de la tour Eiffel, qui était vertigineusement haute quand je levais la tête.
– Es-tu sûre que la tour Eiffel est seulement 540 fois plus haute que cette petite statue ? Elle est immense, cette tour !
– C'est vrai. Elle a 324 mètres de hauteur. En centimètres, ça fait 32 400. Or, 32 400 divisé par 540 est égal à 60. Et 60 cm, c'est la taille du Manneken-Pis.
Ah bon. C'est le genre d'équation mathématique qui intéresserait Bohumil Topolanek.

En revenant par la Grand-Place, on s'est assises à une terrasse. Mamie Juliette a commandé un café, et moi, une gaufre de Bruxelles avec de la crème fouettée et des fraises.

Je l'ai dégustée en pensant à ma meilleure amie, Miss Fraise du Québec. TILT ! J'allais lui envoyer une carte postale. Et aussi à Africa, Jade, Audrey et les 2 Catherine. Sans oublier Karim. J'en ai parlé à mamie.

– Bonne idée ! m'a-t-elle répondu. On vend de belles cartes dans les rues avoisinantes. Voici 10 euros. Choisis-en pour toi et prends-en une pour moi. Je l'enverrai à Caroline. Je t'attends ici.

Pendant que j'écrivais mon courrier, ma grand-mère pitonnait sur son *BlackBerry*. Ensuite, elle l'a replacé dans son sac. Au bout d'un moment, je lui ai demandé :

– Tu ne t'ennuies pas ?

– Pas du tout. On est bien ici, non ? Ce n'est pas tous les jours que j'ai le privilège de prendre mon temps sur la Grand-Place. En compagnie de ma grande petite-fille de Montréal, en plus !

Rassurée, j'ai souri à mamie et me suis replongée dans l'écriture de la carte destinée à Karim. La pensée qu'elle lui ferait une belle surprise a fait battre mon cœur. J'aimerais avoir de ses nouvelles quand je reviendrai à Montréal.

Bon, cher journal, il se fait tard. Je te laisse pour rejoindre mon donjon, là-haut (mon lit superposé !).

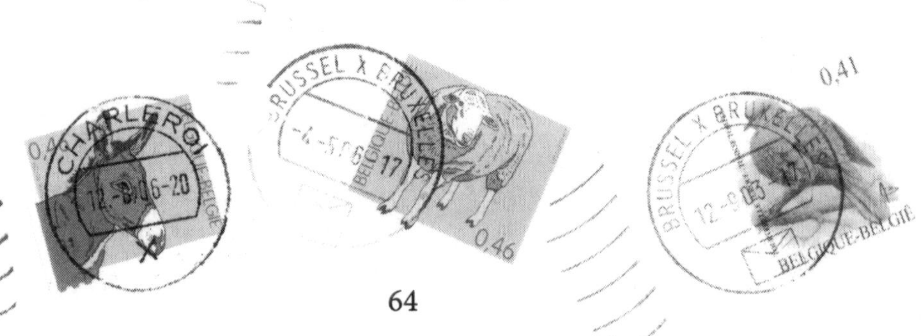

Vendredi 16 juillet

Ce matin, un courriel m'attendait à l'ordi.

De : Marc Aubry
Envoyé : 15 juillet
À : Alice Aubry
Objet : Un message pour Alice

Chère Alice,
Comment vas-tu ? Je t'envie d'être au pays des BD, du chocolat et des frites !

Ici, ça fait drôle d'être seulement trois : Zoé, ta maman et moi. Hier, j'avais demandé à Astrid de ne rien préparer pour le souper, car je m'en chargerais. En fait, je lui ai fait une surprise : je l'ai emmenée au restaurant vietnamien où nous avons soupé en amoureux. J'avais tout arrangé avec madame Baldini. Elle est venue garder le bichon à la maison. Ta maman était ravie et nous avons passé une belle soirée.

Cette semaine, nous avons eu plusieurs réunions au travail. En effet, Sabine Weissmuller part demain soir en vacances. Ça lui fera le plus grand bien. Et à mes collègues et moi aussi, d'ailleurs...

Profite à fond de tes vacances, ma puce. On se parlera via Skype en début de semaine prochaine.

Je t'embrasse de tout mon cœur et ta maman aussi.

Papa

Ce midi, je faisais la vaisselle avec mamie quand elle s'est informée :
– Au fait, comment avance le livre de ta maman ?
– Bien, mais elle teste toutes ses recettes sur nous... Tu aimes ça, toi, le tofu ?
– Bof, pas spécialement. Je n'en ai mangé qu'une fois, dans une crêpe, avec des oignons et des épinards. Disons que ça ne m'a pas laissé un souvenir impérissable.

Je la comprends !
– Eh bien, mamie, au mois d'août, attends-toi à être nourrie au tofu !

En fin d'après-midi, tante Maude passera me chercher après son boulot (elle est travailleuse sociale). Ce soir, je dormirai chez elle. Demain, elle, Lulu, Quentin et moi, on partira à la mer. J'ai tellement hâte !

20 h 26. Lulu *tchate* avec ses amis sur MSN. J'ai demandé à ma tante où était Quentin.
– S'il ne se trouve pas devant l'ordinateur, il est certainement dans la rue, avec ses copains.

Je me suis penchée par-dessus la balustrade de la terrasse. Deux étages plus bas, en effet, il y avait mon cousin, une casquette noire vissée sur sa tête. Lui et deux autres ados s'exerçaient à faire des acrobaties sur leur *skate*. Bon, je te laisse, cher journal, car ma cousine m'appelle.

21 h 30. La chambre de Lulu est pleine de bazar, mais tante Maude ne s'en mêle pas. Elle en a de la chance, ma

cousine ! Ses murs sont couverts d'affiches. Cependant, on n'y voit pas les Tonic Boys ni Lola Falbala. Sur le poster près de son lit, par exemple, des poissons nagent dans la mer. Dessous, c'est indiqué *Greenpeace.* Une autre affiche devait, elle, appartenir à un groupe pop. Sur un fond orange et blanc se découpait la silhouette d'un être humain debout sur le sommet d'une montagne. Celle-ci était formée par les mots : *discrimination, violence,* etc. Au-dessus, c'était écrit *Amnesty International.* Cette personne, qui a des ailes ressemblant à des mains, est prête à prendre son envol. J'ai demandé à Lulu si Amnesty International était le nom de son groupe préféré.

– Non, m'a-t-elle répondu. Cette association n'a rien à voir avec la musique. Elle se bat pour l'abolition de la torture et de la peine de mort. En plus, elle travaille à faire libérer des prisonniers politiques.

– Des prisonniers politiques ? ai-je répété, en fronçant les sourcils.

– Oui, a expliqué ma cousine. Ce ne sont ni des voleurs ni des meurtriers. Ils sont jetés en prison pour un seul et unique motif : ils osent exprimer publiquement leurs opinions souvent très différentes de celles du gouvernement de leur pays. Imagine-toi, Alice, que certains croupissent dans une cellule parce qu'ils ont écrit et publié des poèmes !

Elle a raison, Lulu, c'est TROP injuste !

Sur son iPod, il y avait une musique rythmée. Pas vraiment une chanson, mais plutôt un genre de poésie. Je lui ai demandé qui c'était.

– Grand-Cœur Malade.
– Grand-Cœur Malade ? ? ? (Mon cœur à moi s'est serré en pensant à Grand-Cœur qui était effectivement si malade, il y a trois mois, qu'il en est mort…)
– Non, pas Grand-*Cœur* Malade, comme ton chat, ma pauvre Alice, mais Grand *Corps* Malade.

Je lui ai fait remarquer :
– Bizarre, comme nom…
– Il a choisi ce nom-là à la suite de problèmes de santé. Dans la vraie vie, je crois qu'il s'appelle Fabien. Enfin, peu importe. Ce chanteur fait du slam et j'adore ça !

Grand Corps Malade, le slam, les affiches si différentes de celles qu'on trouve dans le *MégaStar*… Tout ça, ça n'avait rien à voir avec ce que je connaissais.

– Toi, tu écoutes toujours les Tonic Boys ? m'a demandé ma cousine.
– Oui, et Lola Falbala.
– Ici aussi, cette chanteuse fait fureur. Margaux, une de mes copines, adore Lola Falbala. Mais, tiens, si tu ne connais pas le slam, je vais te faire entendre quelques-uns de mes morceaux préférés pendant que je prépare mon sac de voyage pour la mer.

Alors que Lulu prenait ses vêtements dans son armoire, j'ai aperçu un blouson turquoise. Il était en velours très finement côtelé et plusieurs écussons étaient cousus dessus, dont 2 bonshommes sourires + 1 signe de la paix.

– Wow, il est beau ! me suis-je exclamée. Toi aussi, tu aimes le turquoise ?
– Oui. Je l'ai acheté il y a deux ans, pour 3 euros.
– 3 euros ! Ça équivaut à 5 $ canadiens, environ. C'est vraiment pas cher ! ! !
– Non, tu as raison. Je l'avais déniché dans une friperie spécialisée dans les fringues des années 70. Maintenant, il est trop petit pour moi. Tu le veux ?
– Tu me le donnes ? !
– S'il te va, il est pour toi.
– Merci, Lulu !

J'ai essayé le blouson. Les manches étaient vraiment trop longues.
– Pas grave, a assuré ma cousine en faisant deux revers. Et voilà ! T'es trop cool là-dedans !

Je me suis regardée dans le miroir. J'étais bien d'accord avec elle.

En fourrant son maillot et le reste de ses affaires dans son sac, Lulu m'a demandé si je m'entendais mieux avec Gigi Foster. J'avais dû, un jour, raconter à ma cousine que cette fille m'embêtait en classe.
– Non, pas du tout, lui ai-je répondu. Gigi Foster est toujours aussi détestable. Il me reste un an à la supporter avant d'en être débarrassée à tout jamais. Car il est hors de question que j'aille à la même école secondaire qu'elle !
– Pauvre Alice… À mon école, quand deux élèves ne s'entendent vraiment pas, on leur fait passer un week-end ensemble.

Horreur absolue ! Imagine, cher journal, si je devais rester à l'école, le vendredi soir, en compagnie de mon ennemie publique n° 1 ! Avec Cruella comme surveillante... Jamais je ne survivrais à une telle épreuve. Bon, pensons à autre chose, si je ne veux pas faire de cauchemar, cette nuit. Pour me changer les idées, je vais demander à Lulu de noter les titres des morceaux de slam qu'on a écoutés tout à l'heure.

* Grand Corps Malade
« Voyage en train »
* Soprano
« Hiro »
* Diam's
« Enfants du désert »

Dimanche 18 juillet

22 h 00. En revenant de la mer, tante Maude, Lulu et Quentin m'ont laissée chez mamie. Mais avant, nous avons fait un crochet par leur appartement pour récupérer mon cahier jaune. Je l'avais oublié dans la chambre de ma cousine ! De toute façon, on a été tellement occupés que je n'aurais pas trouvé le temps de t'écrire à la mer, cher journal. Je te résume donc notre séjour. Samedi, on a pris la route après le déjeuner. En fin de matinée, tante Maude a stationné Titine (sa vieille auto) devant l'appartement qu'elle avait loué, à Saint-Idesbald. Après avoir déposé nos bagages et enfilé notre maillot sous nos vêtements, on est ressortis. J'avais trop hâte de revoir la mer ! En tournant le coin de la rue, je l'ai aperçue qui scintillait au soleil. C'est toujours aussi magique. TILT ! À cet instant, je me suis rappelé ce que ma mère m'avait recommandé de faire : acheter des lunettes fumées. Justement, sur la digue, devant

un magasin, parmi les cerfs-volants et les pelles, il y avait un présentoir de lunettes. J'ai demandé à ma tante de m'avancer l'argent. Après en avoir essayé plusieurs paires, j'en ai trouvé une qui m'allait très bien.

Une fois à la plage, on a déposé nos sacs et nos serviettes sur le sable. Se débarrassant de son short et de son tee-shirt, Quentin nous a mises au défi.

– Le premier qui touche l'eau a gagné ! a-t-il crié en détalant vers les vagues.

Tante Maude, Lulu et moi, on s'est lancées à sa poursuite. Ma cousine l'a rattrapé et *Splash !!!*

Ma crainte des requins avait refait surface. J'ai discrètement posé la question à tante Maude :

– Il n'y a pas de requins, en Belgique ?

– Les seuls que l'on croise dans la mer du Nord sont en plastique, m'a-t-elle répondu en désignant un requin gonflable avec lequel s'amusaient deux enfants.

Bon, ça m'a donné du courage pour me jeter à l'eau. Ensuite, je me suis tellement amusée avec mes cousins que je n'y ai plus pensé, à ces requins.

- On a fait du *body surf* en se laissant porter par les vagues.
- Lulu et moi, on a construit un château de sable. En milieu d'après-midi, les vagues l'ont rejoint puis entouré. On se serait crues sur une île déserte ! On est restées dessus jusqu'au moment où elle a fini par s'écrouler.
- On a joué au ballon de plage. Au début, je ne l'attrapais presque jamais. Ça ne t'étonnera pas, cher journal…,

tu connais ma légendaire maladresse avec les ballons ! Mais Gigi Foster n'était pas là pour se plaindre que je faisais perdre SON équipe. Au contraire, tante Maude et Lulu m'encourageaient. Alors, je me suis enhardie. Ce matin, c'est même moi qui ai proposé de jouer au ballon. (Là, tu n'es plus très sûr de me reconnaître, cher journal... Mais oui, c'est toujours moi, Alice Aubry !) Cependant, même si je suis loin d'être devenue une championne olympique, Quentin m'a affirmé que je n'étais pas si nulle que ça.

- Sur la plage, on a marché jusqu'en France !
- J'ai ramassé des coquillages et vu 2 étoiles de mer.
- On a fait un pique-nique dans les dunes.
- On a loué un cuistax à 4 places. Ça, c'est vraiment TROP cool ! Il s'agit d'un véhicule à pédales qu'on conduit sur la digue. Tante Maude est montée avec nous. Il y avait beaucoup de vent et, pour revenir, il a fallu pédaler ferme. On a ri comme des fous !
- Je n'ai pas attrapé de coups de soleil (mais pour le bronzage, on repassera !).

Lundi 19 juillet

Ce soir, alors que je m'apprêtais à entrer sous la douche, mamie est venue me dire, à travers la porte :
– Alice, il est 19 h 30 ! Mon émission préférée va commencer. Si tu veux la regarder avec moi, viens me retrouver au salon.

– J'arrive !

Enfilant mon pyjama, j'ai rejoint ma grand-mère. Sur l'écran de son téléviseur, une petite auto blanche décapotable s'est stationnée devant un immeuble. Une jeune femme aux longs cheveux roux bouclés portant des chaussures rouges à talons hauts et un sac à main assorti en a surgi. Après avoir claqué la portière de sa voiture, elle a couru jusqu'à la porte du bâtiment. Elle a fouillé dans son sac à main, puis a poussé un juron parce qu'elle ne trouvait pas ses clés. Elle a sonné deux fois : *Driiing !* *Driiing !* À ce moment-là, elle s'est retournée. Ma parole, c'était Samantha Wilson !

Ce que mamie regardait, cher journal, c'était *Samantha et ses colocs* !

– Moi aussi, j'aime cette télésérie ! me suis-je écriée. Enfin, je n'ai pu écouter que trois épisodes. Tu as…

Mamie a posé un doigt sur ses lèvres. Et elle a dit :

– On en discutera après, ma cocotte.

Une demi-heure plus tard, tandis que le générique défilait, ma grand-mère m'a demandé :

– Comme ça, à Montréal, vous suivez *Samantha et les colocs,* Astrid et toi ? ! C'est l'émission parfaite à regarder entre filles !

J'ai soupiré :

– Malheureusement, ça ne se passe pas comme ça. J'ai déjà vu deux épisodes chez mes amies, et un chez nous, lorsque mes parents se trouvaient en Floride. Mais à part ça, je n'ai pas le droit de suivre cette télésérie.

– Ah non ?! s'est étonnée mamie.
– Maman refuse, sous prétexte que cette émission est bête. Alors qu'elle est super ! Le pire, c'est qu'elle la juge sans l'avoir regardée ! En plus, elle trouve que ce n'est pas pour mon âge. Mais durant l'année scolaire, plusieurs copines ont suivi la 1re saison. Pour rien au monde, elles n'auraient raté un épisode !
– Je les comprends ! J'avoue que je suis complètement accro, moi aussi. Écoute, Alice, chez toi, ce sont tes parents qui établissent les règles. Mais à Bruxelles, tu es sous ma responsabilité. J'estime qu'il n'y a rien de dérangeant pour une fille de 11 ans dans *Samantha et ses colocs*. Alors, on se donne rendez-vous pour regarder la suite la semaine prochaine ?

YÉÉÉÉÉ !!! Quand je te disais, cher journal, que ma mamie est HYPER cool ! La différence entre ma mère et ma grand-mère, c'est qu'Astrid Vermeulen me voit toujours comme plus jeune que je ne le suis. Tandis que mamie Juliette me considère comme une préado. Elle me traite comme si j'avais déjà 11 ans alors que je ne les aurai que dans un mois. (J'ai hâte !)

Je me suis mise à bâiller, mamie aussi. Bref, pendant qu'on bâââââillait à qui mieux mieux, mamie m'a déclaré que les bâillements étaient contagieux.
– Ah oui ?
– C'est ce que j'ai observé. Mais ça fonctionne seulement entre gens qui s'aiment. Si quelqu'un pour qui j'éprouve de l'affection bâille devant moi, je m'y mets à mon tour. Par

contre, s'il s'agit d'une personne avec laquelle je n'ai pas d'affinités, je ne bâille pas.

En tout cas, moi, je ne risque pas de me mettre à bâiller de concert avec Gigi Foster !

Mercredi 21 juillet

Depuis hier soir, je suis de retour chez mes cousins pour trois jours. Ce matin, ma tante m'a embrassée en me souhaitant une bonne fête. En effet, aujourd'hui, c'est la fête nationale des Belges. Sortant sur la terrasse, Quentin a inspecté le ciel. Il était uniformément bleu.

– On dirait qu'on va échapper à la drache nationale, cette année !

J'ai demandé :

– C'est quoi, la drache nationale ?

Lulu m'a expliqué :

– En Belgique, on dit qu'il drache quand il pleut très fort. Et le jour de la fête nationale, c'est rare qu'il ne se mette pas à dracher.

– Si on allait à Walibi ? a proposé tante Maude.

Walibi est un parc d'attractions à une demi-heure de Bruxelles. On était tous d'accord !

14 h 35. On roulait sur l'autoroute depuis quelques minutes lorsque tante Maude s'est mise à fredonner.

– Ah non, tu ne vas pas chanter ! a lancé Quentin. Rappelle-toi ce qui est arrivé la dernière fois.

– Que s'est-il passé ? ai-je demandé.

Il m'a expliqué qu'ils déballaient le matériel de camping quand sa mère avait eu la mauvaise idée de commencer à chanter. Résultat : ils avaient dû monter la tente sous une pluie battante.

– S'il vous plaît, laissez-moi m'exprimer ! a supplié tante Maude d'un air comique. Avec ce temps radieux, on ne risque pas grand-chose.

La pauvre ! Pour l'encourager, je lui ai lancé :

– Vas-y ! Moi, je t'écoute.

Se tournant vers moi, mon cousin a déclaré d'un ton lugubre :

– Je t'aurai prévenue, Alice.

Moi qui pensais qu'il blaguait, j'ai éclaté de rire. Maude s'est mise à chanter de tout son cœur. En fait, elle chante un peu faux.

Elle avait à peine fini que Quentin a bougonné :

– Ça y est, j'aperçois un nuage !

Sa mère lui a répondu :

– Ne sois pas de mauvaise foi, Quentin De Smet ! C'est un tout petit nuage de rien du tout.

Mais mon cousin avait raison. En un temps record, le petit nuage s'est multiplié et de lourds nuages noirs se sont amoncelés.

– C'est pas vrai ! a lancé Lulu. Ça va recommencer…

– C'est une malédiction, a soupiré son frère.

Moi, je ne savais plus si je devais rire, tellement mes cousins semblaient exagérer, ou s'il fallait plutôt m'inquiéter. La pluie s'est mise à tomber. Bientôt, nous étions entourés d'un épais rideau gris.

– Je ne vois plus rien, a déclaré Maude.

– Mais arrête-toi donc sur le côté de la route ! ! ! s'est énervée ma cousine. Il ne manquerait plus qu'on ait un accident !

Ma tante s'est garée sur l'accotement.

Des grêlons géants se sont mis à rebondir sur la voiture (comme moi quand je saute sur mon lit !). Ça faisait un de ces boucans ! Deux minutes plus tard, c'était fini. Dehors, le sol était recouvert de billes blanches aussi grosses que des œufs de Pâques ! La carrosserie de Titine était cabossée.

– Oufti ! s'est exclamée Lulu, en constatant le dégât.

S'il s'était agi de notre nouvelle mini-fourgonnette, papa en aurait fait tout un drame. Mais la sœur aînée de moumou s'est contentée de soupirer :

– Du moment qu'elle roule…

Pourtant, quand elle a voulu faire redémarrer sa petite auto, ça n'a pas fonctionné. Le moteur de Titine était noyé. Bref, ma tante a dû appeler la dépanneuse.

En attendant qu'elle arrive, elle a dit :

– Et si on cherchait des points positifs à la situation ?

– Oh non, pas encore tes ☠☠☠ de points positifs ! ! ! a grogné Quentin, excédé. Tu vois bien que notre journée est à l'eau !

Je n'ai pas pu m'empêcher de pouffer de rire.
– Ma mère dirait exactement la même chose ! Elle aussi est une adepte des points positifs.
– C'est vrai ? a fait tante Maude avec un grand sourire. Quand nous étions petites, Astrid et moi, notre père, qui était d'un naturel optimiste, nous suggérait de trouver des points positifs lorsque quelque chose n'allait pas. On a gardé cette bonne habitude.
– Mais nous, on n'est pas petits, a dit Lulu. Et puis, cette catastrophe, on aurait pu l'éviter. Si au moins tu t'étais retenue de chanter ! En fait, on devrait t'envoyer dans les pays africains qui souffrent de la sécheresse, ma petite maman. Tu te mettrais à chanter, et le problème serait réglé. Si tu allais vivre dans un désert, il se transformerait en oasis verdoyante !
– Mais comme tu habites en Belgique, c'est chez nous que ça tombe, a bougonné Quentin. Je comprends maintenant pourquoi il pleut si souvent dans notre pays. Comment n'y ai-je pas pensé plus tôt ?
– Je ne crois pas que ce soit moi qui provoque de tels déluges, a déclaré tante Maude. C'est plutôt le contraire : lorsqu'il va dracher, j'éprouve un besoin irrépressible de chanter.

Elle me fait rire, ma tante. Je l'aime beaucoup.
– Ta sœur ne possède pas ces pouvoirs-là, lui ai-je dit.
– Non, mais je te fais remarquer qu'Astrid engendre d'autres catastrophes. On est tous distraits dans la famille. Mais elle, elle bat tous les records !
– Ça, c'est bien vrai, ai-je reconnu.

20 h 04. Ce soir, sur Skype, j'ai relaté l'anecdote à ma mère.
– Ça me rappelle de mauvais souvenirs ! a-t-elle dit en riant. Je ne comprends pas comment Maude *ose* encore chanter !

À part ça, rue Isidore-Bottine, tout le monde va bien. Notre bébé chéri dit « maman » depuis hier. Et, crois-le ou non, cher journal, elle fait encore des dents ! On allait raccrocher quand ma mère s'est exclamée :
– Ah, j'oubliais de te raconter la surprise que j'ai eue hier, Biquette ! Je rentrais à la maison après avoir conduit Caroline et Cannelle chez Jessica. En arrivant dans la cuisine, je me suis retrouvée nez à nez avec le siamois de Pierre et Michael ! Il avait dû se faufiler sous la haie et entrer chez nous par la chatière de Grand-Cœur.

Bref, moumou a essayé de l'attraper. Lorsqu'elle a vu que ses « miiinou, minou, minouuu... » n'avaient aucun succès, elle a changé de tactique.
– Qu'est-ce que tu as fait ? ai-je demandé.
– J'ai ouvert la porte d'entrée toute grande. Cependant, au lieu de sortir, le chat s'est réfugié dans la chambre de Zoé. Alors là, je me suis mise à hurler. Il s'est enfui au sous-sol. Je l'ai poursuivi à travers la maison en criant à pleins poumons. Paniqué, il s'est cogné partout avant de trouver enfin la sortie. Je t'assure que je lui ai fait passer l'envie de revenir nous rendre visite !

J'imagine la scène d'ici ! J'ai beau ne pas aimer Sushi, je ne peux m'empêcher de le plaindre. Il a dû être complètement traumatisé, le pauvre ! Une créature humaine, en apparence inoffensive, qui lui susurre « minou, minou » et qui, quelques instants plus tard, se métamorphose en véritable furie. Il y a de quoi faire des cauchemars pendant des semaines ! Et, quand j'y pense, moumou poussait des hurlements sauvages alors que la porte d'entrée était ouverte… J'espère qu'aucun voisin ne passait devant notre maison à ce moment-là. Sinon, il aura cru que l'aimable mère de famille qui habitait là piquait une crise d'hystérie ! La honte, cher journal…

Avant de dire bonsoir à maman, j'ai failli lui demander si Karim avait écrit, mais, heureusement, je me suis retenue. Des fois que ma mère me proposerait d'ouvrir l'enveloppe et de me lire sa lettre au téléphone… GLOUPS !

21 h 33. Ma cousine et moi, on terminait une partie d'*Uno* sur la terrasse. À nos côtés, tante Maude était plongée dans son guide sur New York. Un carillon s'est fait entendre dans la rue.
– C'est Zizi ! s'est écriée Lulu. Tu viens, Alice ?
Zizi ?! J'étais super gênée. Voyant que je n'avais pas compris, ma cousine m'a expliqué :
– C'est le glacier qui parcourt le quartier avec sa camionnette. Tu prends quoi, maman ?
– Un banana split, a répondu Maude sans même relever la tête.

J'ai dévalé les escaliers derrière ma cousine. En effet, sur la camionnette, était inscrit *Glacier Zizi*. Drôle de nom…

Encore que, dans la ville du Manneken-Pis, ce n'est pas si bizarre, finalement. Après avoir lu la liste des saveurs affichée sur la vitre, j'ai choisi un cornet vanille-chocolat. Quentin est arrivé avec ses amis. Lulu et moi, on est remontées à l'appartement avec les 2 cornets + la coupe de tante Maude. Nous avons mangé notre crème glacée sur la terrasse, devant un superbe coucher de soleil. En Belgique, le temps change vite. Tout à coup, j'ai dressé l'oreille. De la fenêtre ouverte d'un appartement voisin provenait une de mes chansons préférées, *Sweet Angel*. De Lola Falbala, bien sûr. J'ai failli commencer à chanter, puisque je connais les paroles par cœur, mais je me suis retenue. En effet, j'avais peur que ma tante ne s'y mette, elle aussi… Une pluie diluvienne suivie de grêle, ça suffisait pour aujourd'hui !

Jeudi 22 juillet

Cet après-midi, tante Maude a récupéré « Titine » chez le garagiste. Bref, demain, nous passerons la journée à Walibi. (Du moins, on fera un 2e essai…)

Vendredi 23 juillet

Walibi ! (2e essai…)

Ce matin, donc, on est repartis pleins d'espoir vers le parc d'attractions. Les vitres de l'auto étaient ouvertes pour avoir

de l'air. La radio diffusait une musique entraînante.
– J'adore les rythmes cubains, a affirmé ma tante.

Et elle a commencé à fredonner.

Lulu l'a interrompue :
– Interdiction formelle de chanter, maman !
– Si tu te prends encore une fois pour la Castafiore, on sera obligés de te bâillonner ! a ajouté son frère.

Ils sont trop drôles, mes cousins ! Bref, Maude s'est retenue et le temps est resté au beau fixe.

Comme tu peux te l'imaginer, cher journal, on n'était pas les seuls au parc d'attractions... Les files étaient longues. Mais on a quand même fait de nombreux manèges. Ma tante est comme sa sœur : elle adore les sensations fortes. Rien ne lui fait peur. Ni le Vampire, ni même le Dalton Terror ! ! ! Elle y est allée avec Lulu (qui, elle aussi, est une adepte inconditionnelle des loopings supersoniques et des chutes dans le vide). Pendant ce temps, Quentin et moi, on a profité des montagnes russes plus traditionnelles. Puis, à nous 4, nous avons apprécié les autres manèges et attractions. Sur le chemin du retour, ma cousine a fait une étude comparative des parcs d'attractions. Sur les 4 qu'elle connaît, son préféré est *Disneyland Paris*. Tante Maude a voté pour *Europa Park*, en Allemagne. Pour Quentin, c'est *Walibi* le plus génial. Et pour moi : *La Ronde* ou *Walibi* ? Les 2 ! En tous cas, j'ai promis à mes cousins et à ma tante que la prochaine fois qu'ils viendront à Montréal, on ira à La Ronde.

J'espère juste que cette nuit, je ne rêverai pas de descentes vertigineuses, sinon je risque d'avoir mal au cœur. En effet, comme on mourait de faim, on a vidé un sac de cuberdons durant le trajet. Puis, avant de me déposer chez mamie, tante Maude nous a emmenés manger des frites place Flagey.

Mes bonbons belges préférés

Les cuberdons sont des bonbons rouge framboise en forme de cônes. On croque délicatement dans la texture granuleuse et sucrée, puis on arrive au cœur du cuberdon, épais, sirupeux et dont le goût est délicieusement chimique.

Samedi 24 juillet

J'ai fait la grasse matinée. Vers 11 h, après le déjeuner, j'ai demandé à mamie quel était le programme de la journée.
– Veux-tu aller au parc de Meise ?
– Le beau parc avec un château ?
– Exactement. Ensuite, nous pourrions visiter les serres. Mais nous ne rentrerons pas trop tard pour préparer nos bagages.
– Quels bagages ?
– Demain, nous partons à Paris.

Interloquée, je l'ai dévisagée. Mamie avait les yeux brillants et un large sourire fendait son visage.
– C'est vrai ?!

– Tout ce qu'il y a de plus vrai. Je te réservais la surprise. Pour ses 10 ans, j'ai amené Lucie à Paris. J'ai fait la même chose, il y a trois ans, avec Quentin. Mais en août dernier, quand tu as eu 10 ans, c'était moi qui me trouvais à Montréal. Alors, cet été, comme tu es ici, j'en profite ! Ce séjour à Paris sera mon cadeau d'anniversaire pour tes 11 ans.

C'est TROP cool !

20 h 46. Mon sac de voyage est prêt. Je vais t'y glisser, cher journal, car je t'emporte dans la capitale française. Je n'aurai sans doute pas beaucoup de temps pour écrire. Au moins, j'essaierai de noter en quelques mots ce qu'on a fait chaque jour. Je ne veux rien oublier, cette fois. Bon, je dois aller me coucher puisque mamie compte me réveiller à 7 h, demain matin.

Dimanche 25 juillet

PARIS, me voici !

Bienvenue à Paris, mon journal voyageur ! Il est 20 h 51 et j'écris en direct de notre chambre d'hôtel. Ce matin, mamie avait préparé des sandwiches. On les a mangés dans le train. Paris se trouve à 300 km de Bruxelles. Mais le train Thalys est rapide : en moins d'une heure et demie, on était arrivées à destination. De la Gare du Nord, on a pris le métro jusqu'à la station Saint-Michel.

Après avoir déposé nos bagages à l'hôtel, on est ressorties. On a a emprunté à pied le pont qui enjambe la Seine (le fleuve qui traverse Paris). À notre droite s'élevait la cathédrale Notre-Dame de Paris. On s'est assises sur un banc. De son sac à dos, mamie a sorti le reste de son sandwich. Elle a émietté le morceau de pain autour de nous. En moins de temps qu'il ne faut pour le dire, des tas de pigeons nous ont entourées.

Ensuite, elle m'a raconté l'histoire de la cathédrale Notre-Dame. Sa construction a débuté en 1163 et a duré près de 100 ans. On y est entrées. Ce que j'ai trouvé magnifique, ce sont les grandes verrières, et surtout celle qui est renommée pour le bleu lumineux de ses vitraux. En ressortant, on a fait une très longue file avant de pouvoir monter dans les tours de la cathédrale. De là-haut, on voit tout Paris. Au loin, j'ai reconnu la tour Eiffel. Wow ! Ma grand-mère m'a promis qu'on s'y rendrait mardi soir.

Sur le chemin des tours, il n'y a pas que la vue qui est spectaculaire, mais aussi les gargouilles et les chimères. On a observé de tout près plusieurs de ces créatures fantastiques en pierre. Certaines de ces sculptures représentent des figures mi-humaines, mi-animales. D'autres ont une tête d'aigle, des pattes de lion et une queue de serpent. Bref, les artistes du Moyen Âge avaient vraiment l'imagination fertile ! J'ai acheté une carte de la cathédrale + 7 cartes postales avec des gargouilles et des chimères, pour ma collection de cartes du monde.

Lundi 26 juillet

On s'est rendues à pied au musée du Louvre pour aller voir les antiquités égyptiennes. Sur le pont qui traverse la Seine, mamie venait de me prendre en photo quand une idée m'a traversé l'esprit. J'ai dit :
– On est lundi. C'est pas ce soir que passe *Samantha et les colocs* ?
– Tu as raison, Alice ! J'avais complètement oublié notre émission. Nous la regarderons dans notre chambre d'hôtel.

En sortant du musée, mamie m'a amenée chez le meilleur pâtissier de la ville. Je n'avais jamais vu une pâtisserie aussi luxueuse ! Ni de si beaux gâteaux ! Je crois que si Catherine Provencher avait été là, elle aurait décidé sur-le-champ de devenir pâtissière. Nous, en prévision de notre repas devant la télé, on a acheté deux petits gâteaux pour chacune + une boîte de macarons.

À l'hôtel, j'ai pris ma douche. Puis, mamie s'est prélassée dans le bain tandis que je regardais un jeu télévisé. Ensuite, on s'est installées confortablement sur nos lits et on a déballé notre « souper ». Ma grand-mère et moi, on a dégusté ces divines pâtisseries devant les aventures de Samantha Wilson et de ses trois colocs pas de tout repos. C'est la belle vie, ça, cher journal !

– Heureusement qu'Astrid ne nous voit pas, a déclaré mamie Juliette en léchant ses doigts pleins de chocolat. Elle trouverait que notre repas n'est pas très équilibré...

Hé, hé ! Ma grand-mère connaît bien sa diététiste de fille !

Mardi 27 juillet

Ce matin, on est parties en métro. Direction Montmartre, un quartier en hauteur, plein d'escaliers. Sur la place du Tertre, on a regardé les peintres qui faisaient le portrait des touristes. Il y en a qui ont vraiment du talent ! Catherine Frontenac devrait voir ça.

En fin d'après-midi, on est revenues à l'hôtel. On avait eu tellement chaud, en marchant toute la journée au soleil, que j'ai pris une douche. J'ai enfilé ma mini-jupe blanche et mon tee-shirt de Lola Falbala. Mamie, qui a remarqué

que j'étais tout élégante pour notre soirée à la tour Eiffel, m'a toutefois suggéré :
– Prends ton blouson turquoise, Alice, et glisse-le dans ton sac à dos. Une fois la nuit tombée, il fera plus frais. D'autant plus qu'on se trouvera en altitude. Il risque d'y avoir du vent.

Devinette : sais-tu, cher journal, comment on s'est rendues à la tour Eiffel ? À pied ? *Non.*
En bus ? *Non plus.*
En taxi ? *Tu n'y es pas du tout ! Tu donnes ta langue au chat ? En bateau, sur la Seine ! C'était vraiment cool !*

Sous la célèbre tour, il y avait des files immenses. Cependant, comme mamie-la-futée avait réservé son billet sur Internet, on n'a pas dû attendre trop longtemps. On est montées à pied jusqu'au 2e étage, gravissant ainsi plus de 700 marches. Ça en valait vraiment la peine. Quelle vue une fois là-haut ! On a assisté au coucher de soleil sur la ville. Sous nos yeux éblouis, des milliers de lumières ont commencé à s'allumer. Mamie a désigné, au loin, la basilique du Sacré-Cœur. Nous l'avions visitée, tout à l'heure, à Montmartre.

À la tombée de la nuit, la tour Eiffel s'est illuminée. Puis, à 22 h, elle s'est mise à scintiller. Spectaculaire ! J'ai pensé que j'aimerais partager ça avec mes amis de classe. Ce serait tellement cool si on se retrouvait ici ! Avec, comme profs accompagnateurs, monsieur Gauthier et madame Duval. Évidemment, c'est impossible. À 5 500 km de l'école, c'est loin pour une sortie scolaire… Dommage ! Mais j'ai acheté des cartes postales que j'enverrai demain à Marie-Ève, aux Catherine et aux autres. J'ai aussi choisi un porte-clé en forme de tour Eiffel pour Caroline.

Alors qu'on s'apprêtait à redescendre l'escalier, je me suis écriée :
– Merci, mamie ! Ce séjour à Paris, c'est le plus merveilleux des cadeaux !

Et je l'ai serrée dans mes bras.
– On s'en souviendra toujours, hein, de cette magnifique soirée, mon Alice ?
– Oh oui, toute ma vie, promis !

Bon, il est minuit passé, et ma grand-mère dort déjà. Moi aussi, mon lit m'attend.

Mercredi 28 juillet

19 h 43 (dans le train). Je profite du trajet, cher journal, pour te raconter notre dernière journée parisienne. Donc, ce matin, on s'est levées tard. On a fait nos bagages et on les a laissés dans le vestiaire de l'hôtel. Puis, l'infatigable mamie

m'a amenée visiter le musée du Moyen Âge, qui se trouve à deux pas. En pénétrant dans la cour de ce château (qui s'appelle l'Hôtel de Cluny mais qui n'est pas un hôtel où on peut loger), je me serais déjà crue au Moyen Âge. Dans le musée lui-même, il y a plein de vitraux, de sculptures, d'armures… Au bout d'une demi-heure, je commençais cependant à en avoir assez. Comme si mamie l'avait senti, elle a accéléré le pas. On a traversé plusieurs salles sans s'arrêter.

On s'est retrouvées dans une salle ronde. Elle contenait six immenses tapisseries au fond rouge. Impressionnant !
– Je te présente *La Dame à la licorne*, a dit ma grand-mère. Il s'agit d'un des chefs-d'œuvre du Moyen Âge. La dame, on peut la voir sur chacune des tapisseries. Sur quatre d'entre elles, elle est accompagnée par sa servante. La dame est richement vêtue, parée de bijoux et de coiffures sophistiquées.

Sur les tapisseries, on trouve aussi une licorne, un lion et quantité d'autres animaux plus petits comme un singe et un lapin. Et puis, beaucoup de fleurs. Mamie m'a fait remarquer que 5 des tapisseries représentaient un sens : la vue, l'ouïe, le toucher, l'odorat et le goût. La 6e tapisserie faisait face aux autres. Devant une tente, on y voit la dame qui dépose son collier dans un coffret tenu par sa servante. Ça m'a rappelé notre coffre aux trésors au fond de la classe. Chaque fois qu'il était plein, toute la 5e B bénéficiait d'un privilège. Or, sur la tapisserie, le coffre, lui, était rempli de bijoux. J'ai pensé que notre privilège, à mamie et à moi, c'était d'être là toutes les deux. Il faudrait que je raconte ça à monsieur Gauthier, à la rentrée. Alors que, ce midi, je traînais les pieds pour me rendre au musée, j'en suis sortie enthousiaste. Et avec d'autres cartes postales.

Après avoir mangé un sandwich, mamie m'a amenée dans un gigantesque magasin qui s'appelle *Les Galeries Lafayette*. Que de vêtements ! Je ne savais où donner de la tête. Tandis que je regardais les tee-shirts, une vendeuse s'est approchée. Désignant un modèle, elle m'a dit sur un ton enjoué :
– Bonjour, mad'moiselle ! C'est la promo de la semaine ! Les BFF sont à 2 pour 1.

Ces tee-shirts blancs étaient vraiment mignons. Ils étaient parsemés de petits cœurs roses et de fraises bien rouges, avec au milieu, les lettres BFF.

J'ai demandé :
– C'est la marque, BFF ?
– Pas du tout, a répondu la jeune femme. Ce sont les initiales de *Best Friends Forever*. Ça veut dire : « Meilleures amies pour toujours ! »

D'après Cruella, je suis nulle en anglais. Mais *Best Friends Forever*, ça quand même, j'avais compris (surtout que la vendeuse l'avait prononcé avec son accent français !).
– Sympa, non ? a poursuivi cette dernière. Si tu achètes le tee-shirt, tu en auras un deuxième gratuit que tu pourras offrir à ta meilleure amie.

J'ai pensé que ce tee-shirt irait super bien avec ma mini-jupe blanche et mes sandales rose vif. Et il plairait aussi à ma *best friend*.

Mamie a chuchoté à mon oreille :
– Si tu l'aimes, je te l'offre, Alice ! Ce sera un souvenir de Paris à partager avec Marie-Ève.

YÉÉÉÉÉ ! Mamie, elle, s'est trouvé une super paire de baskets noires. (Traduction cher journal : des baskets en France = des chaussures de sport.)

On est revenues à pied à l'hôtel. Après avoir pris nos bagages, on s'est rendues en métro à la gare. Nos vacances parisiennes étaient déjà finies. Et dire que dans 2 jours, mamie et moi, on s'envolera pour Montréal ! J'ai très hâte de revoir Cannelle et toute ma famille. Sans compter mes amies ! Mais j'ai un pincement au cœur à l'idée de quitter tante Maude, Lulu et Quentin. Sniff… Au moins, je passerai une dernière journée avec eux, demain, juste avant que mes cousins ne partent chez leur père. Et puis, ils viendront peut-être au Québec, l'été prochain. Espérons-le !

TILT ! Les photos de mon voyage (prises par mamie, ma tante et mes cousins) ! Je vais créer un album photo sur le Web et le partager avec mes amis et ma famille. Malgré cela, je laisse quand même un peu d'espace libre dans mon cahier jaune pour y coller mes photos préférées.

Vendredi 30 juillet

Bye-bye, la Belgique ! Et bonjour, le Québec ! Cher journal, me voici de retour au 42, rue Isidore-Bottine. Pour t'écrire, je me suis installée à mon bureau. Cannelle se tient près de moi.

Ce matin, à l'aéroport de Zaventem, mamie et moi sommes arrivées dans la zone des magasins hors taxes. Elle a acheté deux grands ballotins de pralines :

☺ un pour notre famille (c'est papa qui allait être content !) ;
☺ un autre pour mes grands-parents paternels chez qui on passera une semaine.

On n'a pas oublié les spéculoos pour maman. (Mamie a même trouvé du chocolat au spéculoos… moumou va capoter !) Oh, et il y avait des cuberdons géants ! J'ai demandé à ma grand-mère si je pouvais en avoir.

– Bien sûr. Prends-en aussi un paquet pour Caroline.

Le vol Bruxelles-Montréal s'est bien passé. J'ai beaucoup dormi dans l'avion. Et à l'atterrissage, je n'ai presque pas eu mal aux oreilles. Tant mieux ! Maman et Zoé nous attendaient à l'aéroport. Ma petite moumou ! Quel bonheur de la retrouver ! Zoé aussi d'ailleurs ! Quand elle m'a aperçue, elle a gazouillé :

– Yé, yé, yé !

Je l'ai prise dans mes bras tandis que mamie et maman s'embrassaient à leur tour avec effusion.

À la maison, j'ai défait ma valise. Maman est venue s'asseoir sur mon lit.

Lorsque j'ai sorti mon blouson turquoise, elle a remarqué :

– C'est nouveau ?

Je lui ai tendu le vêtement que ma cousine m'avait donné.

– Même s'il a l'air neuf, c'est un vieux blouson des années 1970. Tu t'imagines, un blouson du millénaire dernier !

– Ce n'est pas si vieux que ça, a répondu moumou en riant. Tu oublies, Biquette, que moi aussi, je « date » des années 70. Et pourtant, je suis encore très jeune !

Oups !

L'air de rien, j'ai demandé à maman si le facteur avait livré du courrier pour moi pendant mon absence.

– Oui, je l'ai posé là.

Le cœur battant, j'ai regardé sur mon bureau. Jade m'avait envoyé une belle carte des Bahamas. Et Audrey, une de Erevan, la capitale de l'Arménie, avec en arrière-plan une montagne au sommet enneigé. C'était super gentil. À mon grand regret cependant, il n'y avait pas de courrier du Liban. Moi qui avais espéré que Karim m'écrive… M'avait-il oubliée ?

14 h 35. Interrompant mes réflexions, Caroline est arrivée de chez Jimmy.

– Aliiiiiiice ! a-t-elle crié en se précipitant dans mes bras.

On était super heureuses de se retrouver. Ma sœur a beaucoup aimé le porte-clé « tour Eiffel ». Elle a d'ailleurs annoncé qu'elle inaugurait aujourd'hui même une collection de porte-clés. Papa est rentré tôt du travail. Bref, nous voilà réunis. Avec mamie en plus ! Et Cannelle ! Elle, au moins, se souvenait encore de moi. Elle m'a fait la fête et ne me quitte pas d'une semelle, comme pour s'assurer que je ne reparte pas. Je vais à la toilette ? Ma chienne m'attend derrière la porte.

19 h 04. En allumant le barbecue, papa a déclaré :
– À partir de ce soir, je suis en vacances ! Si vous avez toujours dans l'idée de peindre votre chambre, les filles, je m'y mets dès lundi.
– Quelle couleur avez-vous choisie ? a demandé mamie, intéressée.

Tentant le tout pour le tout, j'ai répondu, comme si de rien n'était :
– Turquoise.

Faisant volte-face, Caro a rétorqué :
– Non, rose !

Raté… Ma sœur a poursuivi :
– Au magasin de décoration, j'ai trouvé une frise avec des petits cochons à la queue leu leu. Jessica est d'accord avec moi. C'est super *cute* !
– Possible, ai-je concédé, mais ce n'est pas Jessica qui dort avec toi dans cette chambre. C'est moi !

Pfff… Depuis le temps que j'ai envie d'avoir une chambre de grande, à mon goût…

– C'est pas drôle ! a soupiré Caro. J'avais tout organisé. Et toi, tu reviens et tu me mets des bâtons dans les roues.

– Moi non plus, je ne trouve pas ça drôle ! Ça fait très longtemps que j'imagine ma chambre en turquoise. Et toi, tu m'en empêches.

– Toi, t'as la chance d'avoir un bureau ! Moi, j'en ai même pas. Je dois descendre à la cuisine pour faire mes devoirs.

– Arrêtez de vous disputer, nous a demandé maman. Vous venez à peine de vous retrouver !

Papa a ajouté :

– En tout cas, les filles, si vous souhaitez qu'on rénove votre chambre, il va falloir vous entendre. Vous avez jusqu'à lundi pour vous décider. Car, je vous le rappelle, dans une semaine, nous partons pour Covey Hill. Et à notre retour, je recommencerai à travailler.

Caroline s'est informée :

– Et si, lundi, on n'est toujours pas d'accord ?

– C'est bien simple, a conclu papa. Tout restera comme ça.

QUOI ? ! ! !

Bref, c'est la **guerre** des couleurs ! Malgré le fait que j'étais révoltée, je ne pouvais m'empêcher de bâiller. Je bâillais, bâillais… Et mamie, qui m'adore, bâillait avec moi !

J'ai embrassé tout le monde (sauf Caro qui boudait). Je suis montée dans MA chambre. Prenant mon courage à deux mains, je t'ai encore écrit, cher journal. Mais maintenant, je te laisse pour aller dormir. Car, avec le décalage horaire, pour mamie et moi, c'est comme s'il était presque 2 heures du mat' (comme dirait Quentin !).

Samedi 31 juillet

Le temps de compter jusqu'à trois, hier, je dormais déjà. Et ce matin, à 5 h 54, je me suis levée… en pleine forme ! (C'est l'effet du décalage horaire.) Avec Cannelle sur mes talons, je suis descendue à la cuisine. Au moment où je prenais le lait dans le frigo, maman m'a rejointe avec Zoé.
– Bonjour Alice ! J'ai pensé à toi, hier matin, en faisant les courses. Ferme tes yeux, s'il te plaît. Attends un instant que j'installe Zoé.

J'ai obéi, toute contente. J'adore les surprises ! Après avoir entendu le CLAC de la ceinture qui attache notre bébé dans sa chaise haute, la porte du garde-manger s'est ouverte. Puis, ma mère a dit :
– Tu peux rouvrir tes yeux, Biquette. Tu choisis la main gauche ou la droite ?
– La gauche !

Et, fière d'elle, elle a brandi… une boîte de Crocolatos ! Gloups.

Maman m'a expliqué :

– D'habitude, je laisse ce genre de céréales peu nutritives sur les tablettes de l'épicerie. Mais je me suis dit qu'en Belgique, tu n'avais pas eu l'occasion de manger tes céréales favorites. Alors, je t'en ai acheté. Une exception n'a jamais fait de tort à personne.

Je l'ai regardée. Elle blaguait, ou quoi ? Apparemment non. Elle avait sincèrement voulu me faire plaisir. Elle avait tout simplement oublié que les Crocolatos étaient mes ex-céréales préférées. (Au début, c'est vrai que j'adorais ces étoiles chocolatées. Mais depuis que je m'étais forcée à en avaler des quantités industrielles pour obtenir le tee-shirt de Lola Falbala, j'étais dégoûtée à jamais.) Cependant, ma mère était si contente que je n'ai pas eu le cœur de lui gâcher sa surprise. Alors, je lui ai dit :

– Merci, moumou ! Comme c'est gentil !

Tôt ou tard, il faudra bien que je lui dise la vérité, pour éviter qu'elle ne me refasse d'autres « surprises » de ce genre. En attendant, à défaut de pouvoir refiler les Crocolatos à Catherine Provencher, j'en donnerai discrètement à Cannelle. En effet, je viens de lui en présenter une poignée. En deux coups de langue, elle avait tout gobé !

Maman et moi, on est allées au parc avec Zoé et Cannelle. Sur le chemin du retour, une idée épatante a traversé mon esprit. J'en ai fait part à ma mère :

– Lorsque mamie repartira, début septembre, Caro pourrait s'installer au sous-sol. Comme ça, j'aurais ma chambre turquoise à moi toute seule. Et elle, sa chambre rose. Ce serait une bonne solution, tu ne trouves pas ?

Malheureusement, ce n'était pas l'avis de moumou. Elle tient à ce que Caroline reste en haut avec nous. Et que la chambre du sous-sol demeure une chambre d'amis. Bref, une fois de plus, c'est loupé ! Scrogneugneu à roulettes !

Mamie Juliette n'avait pas assisté, hier, à ma confrontation avec ma sœur au sujet de la future couleur de notre chambre. Bref, cet après-midi, je lui ai confié mes frustrations. Elle a convenu que le problème était épineux. Car c'est ma chambre. Mais c'est aussi celle de Caro.

Justement, la voilà qui arrivait. Mamie a suggéré :

– Vous pourriez toujours peindre deux murs en turquoise et les autres en rose ?

– Ce serait affreusement laid !!! s'est écriée Caro.

Pauvre mamie... Ma sœur est tellement BING ! BANG ! BOUM !, des fois ! Même si je suis d'accord avec elle : c'est vrai que ce ne serait pas très joli... J'aime les couleurs assorties, moi.

Dimanche 1er août

On campe toujours sur nos positions respectives. Il me reste 24 heures pour faire changer d'idée à ma sœur.

20 h 30. Pas de solution en vue. J'ai jeté un regard noir au papier peint qui tapisse les murs de ma chambre. Les agneaux, plus joyeux que jamais, semblaient me narguer.

Comme s'ils se réjouissaient d'être encore là pour très, très longtemps, puisque Caro et moi, on ne parvient pas à se mettre d'accord. Je leur ai tiré la langue !

20 h 49. Je m'apprêtais à prendre ma douche lorsque Caroline est venue me trouver.
– Tu sais, j'ai toujours voulu une chambre rose.

Ça, pour le savoir, je le savais ! GRRR... Elle tentait encore de m'amadouer, mais j'étais décidée à demeurer INFLEXIBLE.
– Eh bien, j'ai changé d'avis, a ajouté ma sœur.

N'osant y croire, je lui ai demandé :
– Tu veux bien qu'on achète de la peinture turquoise ? !
– Pas turquoise, non. Bleu cochon.

Bleu cochon ? ? ? C'était quoi encore, cette invention à la noix de coco ! ! ! J'te jure, cher journal, que c'est pas drôle tous les jours d'avoir des petites sœurs ! Voyant que je ne comprenais pas, Caro a pointé du doigt un de ses cochons en peluche. Gudule. Qui, je te le rappelle, cher journal, est de la plus merveilleuse couleur turquoise.

TILT ! Caro ne savait peut-être pas que c'était exactement ce ton de bleu qui s'appelle « turquoise ». Si je le lui disais, elle risquait de changer d'avis. Avec elle, on ne sait jamais… Alors, réfrénant mon envie de lancer un « youhouuuu ! » victorieux, je lui ai répondu :
– Oh, ce bleu-là ? Tu as raison, il est très beau.
– Tope là ! a fait ma sœur.
– Tope là ! me suis-je exclamée en claquant la paume de sa main.

Notre entente était conclue. J'aurai enfin ma chambre turquoise.

Cooooooooooool!!!!!!!!!!!!!!!!!!!!!!!!!

M'élançant sur mon lit, j'ai commencé à sauter, bondir, rebondir de plus en plus haut. Caroline m'a imitée. Elle m'a lancé Gudule. Je l'ai saisie au vol. (Décidément, je suis plus douée pour attraper les cochons en peluche que les ballons du cours d'éduc !) Après avoir planté un bisou sur le groin de la truie turquoise (après tout, c'est grâce à elle si notre conflit connaît cet heureux dénouement), je suis descendue de mon lit. J'ai rendu Gudule à ma sœur et lui ai proposé :

– Allons prévenir papa.

Lui, par contre, n'a pas fait preuve d'un enthousiasme débordant. Il s'est contenté de dire :

– Comme ça, vous avez fini par trouver un compromis ? Bon, demain, j'irai louer la machine à vapeur pour décoller le papier peint.

Pauvre poupou, je crois qu'en fait, notre mésentente lui convenait assez bien. Si elle s'était poursuivie, ça lui aurait permis de profiter de ses vacances pour se reposer. À la place, au boulot !

De la cuisine, Caro m'a appelée :

– T'as pas soif, toi, Alice ?

Je l'ai rejointe. Comme elle se versait un verre de lait, je lui ai demandé de m'en servir un, à moi aussi. J'ai pouffé de rire :

– Tu as une moustache de lait !

Bref, toutes les deux, on a fait un concours de moustaches. On est allées s'admirer dans le miroir de l'entrée. On a même été chercher l'appareil numérique pour se prendre en photo. Des photos hilarantes du style que doit apprécier Patrick Drolet ! Patrick Drôle-Lait… Hi ! hi ! hi !

En allant souhaiter une bonne nuit à mamie, je lui ai raconté ce revirement de situation. Elle a eu un grand sourire. Puis, elle m'a confié que c'est elle qui avait trouvé le moyen de dénouer la crise. Tout à l'heure, en apercevant Gudule sur le lit de Caroline, elle avait eu un éclair de génie. Elle avait déclaré à ma sœur que notre chambre serait très jolie en bleu cochon. Devant l'air perplexe de Caro, mamie avait désigné Gudule. Bref, elle a réussi à la convaincre !!!

Vive mamie !

Lundi 2 août

Cette nuit, j'ai rêvé de Grand-Cœur. Il arrivait du fond du jardin et semblait en forme. « Tiens, il est guéri », me suis-je dit, tout heureuse. C'est alors que Cannelle a accouru en aboyant, comme elle le fait lorsque le siamois de nos voisins la provoque de derrière la haie. Aïe, Grand-Cœur et elle allaient-ils se battre ? S'arrêtant à ma hauteur, ma chienne s'est couchée sur le gazon. Je retenais mon souffle. Les deux animaux ne se lâchaient pas du regard. Grand-Cœur s'est approché d'elle à pattes de velours. Cannelle n'a pas bronché. Mon chat est venu se lover entre ses pattes. Il s'est mis à ronronner. Quant à elle, elle a poussé un « mwouf » de satisfaction. Cannelle et Grand-Cœur étaient devenus copains ! Mon cœur s'est gonflé de joie. À ce moment-là, je me suis réveillée.

Ça m'a fait un pincement au cœur de me rappeler que mon chat était mort. Mais, en même temps, j'étais touchée qu'il soit venu me rendre visite de cette façon, pendant la nuit. C'était comme s'il vivait encore un peu. Et cette idée me faisait plaisir : s'ils s'étaient connus, mes deux animaux se seraient bien entendus. Pas comme chien et chat, non, mais comme de bons amis. La paix, décidément, c'est bien mieux que la guerre... C'est sur ces pensées réconfortantes que je me suis rendormie.

On a accompagné papa au magasin de peinture. Caro avait apporté Gudule, car elle tenait *exactement* à cette teinte-là. (Moi aussi d'ailleurs !) La décoratrice, à qui on s'est adressé, nous a questionnées :
– C'est pour une chambre ?
– Oui, pour la nôtre, avons-nous répondu en chœur.
– Ce sera vraiment beau. Mais, savez-vous ce qui serait très tendance ? Deux murs de couleur et deux murs blancs.

Ma sœur et moi, on trouvait l'idée super.
– Les murs blancs, ce seront celui de la fenêtre et celui de ton bureau, a décidé Caro. Et au-dessus de mon

lit, j'aimerais coller un petit morceau de la frise avec les cochons.

No problemo !

De retour à la maison, on a poussé nos lits, nos tables de chevet ainsi que mon bureau au milieu de la pièce. J'ai décroché une à une les punaises rouges fixées sur ma carte du monde. Chaque fois, je notais le pays sur une liste, pour être sûre de me rappeler où les replacer. J'ai roulé la carte et je l'ai rangée dans ma garde-robe.

On a commencé à décoller le papier peint. Par endroits, ça s'enlevait tout seul. Mais à d'autres, il fallait gratter, gratter. Heureusement, mamie nous a donné un bon coup de main. Ce soir, Caro et moi, on dormira sur nos lits placés côte à côte, au beau milieu du chantier !

Bye, agneaux et arc-en-ciel !

Mardi 3 août

On a ôté le dernier lambeau de papier peint vers 11 h 30. Papa s'est épongé le front. Je lui ai demandé :

– On continue les travaux après le dîner ?

– Non, demain, m'a-t-il répondu. Même si nous ne sommes pas dimanche, je mérite de faire une sieste. Et d'avoir congé le restant de la journée.

D'un côté, je comprends mon père. Moi aussi, je suis fatiguée d'avoir tant travaillé. Mais d'un autre côté, je trouve ça long, de devoir attendre demain pour continuer l'aménagement de ma chambre. ☹

Cet après-midi, pour faire passer le temps, j'ai décidé de relire *Les Zarchinuls perdent la tête,* le 9e tome de la série. Je me suis installée au fond du jardin, à l'ombre du lilas, avec Cannelle et ma BD. Quelques minutes plus tard, je m'esclaffais. À travers mes larmes (de rire), j'ai vu ma mère s'avancer vers moi. Elle tenait une enveloppe à la main.

– Le facteur est passé, Biquette. Il y a du courrier pour toi.

– Merci, moumou !

Elle est rentrée dans la maison. Moi, j'avais reconnu l'écriture de Karim ! J'ai ouvert l'enveloppe. Dedans, il y avait une carte postale de la mer et une lettre de trois pages. Cool ! Mon cœur souriait.

« Chère Alice, écrivait Karim,

J'espère que tu as passé de belles vacances dans ta famille, en Belgique. Comme promis, je t'envoie une carte postale pour ta collection. J'ai mis longtemps à me décider à t'écrire. Mes sentiments étaient mêlés. Et puis, je n'avais pas envie de te faire de la peine... »

– Ça y est ! ai-je pensé, catastrophée. Il a rencontré une fille libanaise ! Ou il ne m'aime tout simplement plus...

Mais non. C'est PIRE que ça, encore, cher journal. Dès la 2e page, j'ai réalisé que mes yeux survolaient les mots sans les comprendre. Et pourtant, Karim ne m'écrivait pas en arabe, mais en français. J'ai donc relu la lettre, en retenant mes larmes. Voici, en résumé, ce qu'elle disait. À leur arrivée, Karim et sa sœur Christina ont passé quelques jours chez leurs grands-parents, à la campagne. Pendant ce temps, leurs parents se trouvaient à Beyrouth. Lorsqu'ils sont venus les chercher, ils leur ont annoncé qu'ils avaient pris une grande décision : rester au Liban. C'est le frère de Georges (le papa de Karim) qui les a convaincus, lui et Leïla (sa maman) de travailler avec eux dans leur entreprise familiale. Ils possèdent un commerce d'appareils électroménagers à Beyrouth. Christina était tout excitée. Mais Karim, lui, se sentait déchiré en deux.

Toi qui as deux pays, Alice, tu comprendras peut-être ce que je ressens. D'une part, il y a ma vie à Montréal, et mes amis d'école (dont Bohumil et Simon, et toi, bien sûr !). Quitter ce monde que j'aime, c'est comme une blessure qui saigne. D'autre part, je suis content à l'idée de vivre à Beyrouth, avec ma famille. Aller avec mes cousins à l'école et, les fins de semaine, les accompagner à la plage. Pour le moment, on loge chez mon oncle et ma tante. Mes parents viennent de louer un grand appartement dans le quartier Achrafieh, tout près du magasin. On emménagera dans une semaine. Christina et moi, on est déjà inscrits à notre nouvelle école. Mon père partira seul pour Montréal le 2 août. Il y restera 10 jours pour vider notre appartement et tout régler.

Te raconter ça est très difficile, comme tu peux te l'imaginer. J'espère, Alice, que tu ne m'en voudras pas trop. Si tu as envie, je te raconterai ma vie ici, par courriel, lorsque notre nouvel ordi sera branché dans l'appartement. On pourrait aussi se parler via Skype.

Si tu veux m'écrire, tu trouveras ma nouvelle adresse au dos de l'enveloppe.

Karim

Karim ne reviendrait pas après ses vacances… Ce n'était pas possible !!! Mais il n'est vraiment pas du genre à faire des blagues plates. Une larme a roulé sur ma joue. Cette fois, c'était une larme de chagrin et non plus de rire. Moi qui, quelques minutes plus tôt, planais dans l'univers loufoque des *Zarchinuls,* je venais d'atterrir brutalement dans la vraie vie, *BANG !*

C'est comme un rêve qui se brise,
Une épine plantée en plein cœur,
Un coup de poing me coupant le souffle.
Karim, tu vas tellement me manquer !
Dis-moi que ce n'est pas la vérité !

Tu aurais dû te rebeller…
Au moins revenir à Montréal,
Terminer ton primaire à l'école des Érables
Pour qu'on puisse en secret
S'aimer encore toute une année.

Cette nouvelle à laquelle je n'étais pas préparée
M'a tellement ébranlée.
Quelle déchirure !
Pour moi aussi, je t'assure, c'est comme une blessure
Qui vient ternir le ciel d'azur.

Dire que j'attendais des nouvelles de Karim avec impatience… Il me demande de lui répondre, mais c'est au-dessus de mes forces. Je ne me rappelle plus si c'est aujourd'hui ou demain que Marie-Ève arrive chez son père, à Ottawa. Peu importe. Je suis trop bouleversée pour annoncer cette catastrophe à ma meilleure amie par téléphone. J'éclaterais en sanglots. Sans compter qu'elle sera sous le choc, elle aussi. Karim a toujours été un de ses bons amis.

C'est vrai, *la vità è bella,* comme le dit madame Baldini. Mais pourquoi, tout à coup, nous fait-elle des coups vaches, comme ça, au beau milieu d'une journée de vacances ? Heureusement, ma Cannelle est fidèle, elle. Même si je fais des efforts pour ne pas pleurer, elle réalise que je suis triste. Elle me regarde, de ses bons yeux noisette un peu inquiets. Je te laisse, cher journal, car j'ai envie de la serrer contre moi. Ensuite, j'irai me promener avec elle. Il faut prendre soin de ceux qu'on aime tant qu'ils sont là.

Mamie et mes parents se sont aperçus que quelque chose n'allait pas. Croyant que je couvais un rhume, moumou m'a donné de l'échinacée. Mais cette plante médicinale ne peut rien contre les peines de cœur.

Mercredi 4 août

Hier soir, dans mon lit, j'ai pleuré avant de m'endormir. Quelle injustice! Pourquoi ça m'arrivait à moi, cette malchance? Et ce matin, lorsque je me suis remémoré la lettre de Karim, je me suis dit: « J'ai dû rêver. » Malheureusement non. Cette nouvelle m'écrase, cher journal. Comme si elle pesait très, très lourd. Je suis à nouveau submergée de sentiments contradictoires. Comment me résigner à ne pas retrouver Karim à la rentrée, à ne plus jamais le croiser à l'école ni ailleurs?

Après le déjeuner, papa a sablé les murs de notre chambre. Quelle poussière! En fin de matinée, cette étape-là aussi était terminée. Mais mon père refuse de commencer la peinture aujourd'hui. Il veut faire une sieste. Et ensuite, une balade à bicyclette. Pfff...

– Je n'ai plus de vélo, lui ai-je rappelé. Il est trop petit. Je l'ai passé à Caroline.

– Et moi, avec cette chaleur, ça ne me tente pas de pédaler, a décrété ma sœur. Si on allait plutôt à la piscine?

Maman, mamie et moi, on était d'accord. Caro a invité Jimmy. (Ma sœur a plus de chance que moi! Son amoureux ne retourne pas vivre en Haïti...) J'ai téléphoné à Africa. Mon amie n'avait rien au programme. On passera la chercher vers 14 h.

19 h 45. Cet après-midi, Africa et moi, on a étendu nos serviettes de bain sur le bord de la piscine. Une petite brise rafraîchissante venait de la rivière des Prairies.
– Ton bikini est super, Alice ! Avec tes lunettes de soleil, tu as l'air d'une vraie star !
– Merci, ma chère !

Changeant de sujet, j'ai annoncé à Afri qu'on ne reverrait plus Karim. Évidemment, elle était atterrée. Plus tard, on s'est raconté le début de nos vacances. Elle a séjourné 10 jours au camp multisport, dans les Laurentides. Ensuite, on a passé le reste de l'après-midi dans la piscine.

Lorsqu'on est sorties de l'eau, Africa s'est rendue aux toilettes. Moi, je me suis allongée à plat ventre sur ma serviette pour me sécher au soleil. J'ai vu mamie Juliette grimper sur le plongeoir. Elle s'est retournée et HEIN ? Elle a plongé par en arrière. Oui, je te le jure, cher journal, un impeccable plongeon, digne de ceux d'Alexandre Despatie (ou presque). Incroyable ! Je ne savais pas que ma grand-mère était capable d'accomplir cette prouesse. Elle est tellement cool !

En partant, on a déposé Africa chez elle. Papa n'était pas encore rentré à la maison. Tout le monde était affamé.
– Qu'est-ce que je pourrais préparer comme repas vite fait bien fait ? s'est demandée maman à haute voix. Je vais voir s'il me reste du tofu…

Mamie Juliette a suggéré :

– Pourquoi ne ferait-on pas tout simplement des pâtes au ketchup ?

Ce n'était pas tombé dans l'oreille d'un sourd ! (ou plutôt, d'une sourde).

– Des pâtes au ketchup ! s'est exclamée Miss Ketchup. Tu ne nous as jamais fait ça, maman !

– Ce n'est pas très nourrissant, a commenté la diététiste de la famille. Ça manque de fibres, de protéines, de vitamines et de…

– C'est pas grave ! l'a interrompue Caro. C'est ça que je voudrais manger ce soir. Tu nous les prépares, mamie, tes pâtes au ketchup ?

– Avec plaisir.

Et s'adressant à sa fille Astrid :

– Tu peux aller donner le bain à Zoé, ma chérie. Je m'occupe de tout.

– Merci ! a répondu maman. Tu es un chou !

Elle n'a cependant pas pu s'empêcher d'ajouter :

– Il y a du fromage râpé dans le frigo. Et aussi de quoi faire une salade…

– Ne t'inquiète pas, je vais me débrouiller ! a dit mamie en chassant (gentiment) moumou de la cuisine. Allez, ouste !

Un quart d'heure plus tard, le souper était prêt. Les pâtes au ketchup, ce n'est pas mauvais…, mais pas génial non plus. Je préfère de loin les spaghettis avec la bonne sauce de ma mère (même si je la soupçonne, ces derniers temps, d'y ajouter un peu de tofu en douce…). Bien sûr, je n'ai

rien dit, pour ne pas faire de peine à mamie. Par contre, Caroline, qui a repris des pâtes, s'est exclamée :
– Dorénavant, je veux TOUJOURS mes spaghettis sans sauce, mais au ketchup !

Sacrée Caro ! Et pauvre maman. Elle n'est pas sortie de l'auberge, maintenant que sa Ciboulette a découvert les pâtes au ketchup…

les pâtes au ketchup = bof…

Jeudi 5 août

Ce soir, je me suis sentie prête à appeler ma meilleure amie. Elle était là. J'étais heureuse de l'entendre ! Ça faisait 3 semaines et 1/2 qu'on ne s'était pas parlé. Bref, on a passé plus d'une heure au téléphone. Je lui ai annoncé la désolante nouvelle, concernant Karim. Elle était très triste, elle aussi, de perdre notre ami. Et bien sûr, elle compatissait avec moi, car elle savait que ça me fendait carrément le cœur.

Puis, je lui ai parlé de ma nouvelle chambre.
– Ce matin, papa, mamie et moi, on a appliqué la première couche de peinture. C'est superbe ! Demain, il restera la deuxième à donner. Ensuite, on partira à la campagne, chez mes grands-parents paternels.

– Tu reviens quand à Montréal, Alice ?
– Le dimanche 15, au soir.
– Le jour de tes 11 ans ! Moi aussi, figure-toi, c'est ce soir-là que je rentrerai d'Ottawa.

J'ai invité Marie-Ève à passer quelques jours avec moi durant la semaine du 16 août.
– Pourrais-tu venir dès le lundi ?
– Ma mère et moi, on ne se sera pas vues depuis longtemps. Elle ne travaille jamais le lundi, et le mardi, elle a pris congé pour être avec moi.
– Je comprends. Alors, du mercredi au samedi? Et ma fête avec les amies aurait lieu le vendredi soir.
– Tu oublies que le vendredi 20, c'est le concert de Lola Falbala, a répliqué Marie-Ève. J'ai tellement hâte ! Puis, samedi, je retourne chez mon père jusqu'au 25. Je pourrais donc rester chez toi de mardi soir à jeudi soir.

Je n'allais tout de même pas fêter mon anniversaire sans ma meilleure amie ! Alors, je lui ai dit :
– J'organiserai plutôt ma fête le jeudi, si les autres sont disponibles.

J'ai donc appelé Africa, les 2 Catherine, Jade et Audrey. La seule qui n'était pas libre, le 19 août, c'est Catherine Frontenac. Dommage, mais c'était elle ou Marie-Ève.

Vendredi 6 août

On a terminé la peinture vers 11 h 30. Après le dîner, on a dépoussiéré nos meubles et on les a remis à leur place en faisant bien attention de ne pas toucher les murs. Ensuite, mamie a aspiré le plancher. WOW ! C'est tellement beau, ces murs turquoise illuminés par les murs blancs ! Je me croirais dans un magazine de décoration. Non, c'est mieux encore ! Il s'agit de notre chambre, à Caro et à moi, et elle est plus belle que toutes celles qu'on présente dans les magazines. Ici, je me sens vraiment chez moi. Ça me ressemble. Tiens, ça me rappelle une musique de slam que ma cousine Lulu m'avait fait écouter. Le refrain répétait quelque chose comme : « *Il faut croire en ses rêves.* » C'est bien vrai !

Bon, je vais prendre ma douche, puis je prépare mon sac pour Covey Hill. C'est ce soir qu'on part chez grand-maman Francine et grand-papa Benoît ! Avec mamie Juliette et Cannelle. Mes cousins Olivier et Félix, eux, arriveront demain.

21 h 25. Vers 18 h 30, mamie finissait de ranger la cuisine après le souper. Maman donnait un bain rapide à Zouzou. Je l'entendais geindre. De nouvelles dents s'apprêtaient-elles à percer ses tendres gencives ? Caro tournait en rond. Papa nous a réquisitionnées pour porter avec lui les

bagages accumulés dans l'entrée jusqu'à la fourgonnette. Caroline s'est emparée du sac dans lequel elle avait fourré ses cochons en peluche. Quant à la brave Cannelle, que ce branle-bas de combat inquiétait, elle était dans nos jambes.

Le téléphone a sonné. D'en haut, maman a crié :

– Quelqu'un le prend ?

– Oui ! ai-je répondu en me précipitant sur le combiné.

C'était Marie-Ève.

– Es-tu allée sur le site lola-falbala.com, aujourd'hui ? m'a-t-elle demandé.

– Euh, non.

– Le nouvel album de Lola est sorti aux États-Unis. Il porte le nom de *Fabulous Falbala,* tout comme son spectacle. En parlant de spectacle, je voudrais déjà y être !

Je comprends que ma meilleure amie soit emballée. Mais moi, comme je n'ai pas le droit d'y assister, j'aime autant ne pas y penser.

– Eh bien, sur son site, a poursuivi Marie-Ève, on peut écouter gratuitement une des chansons. Elle s'appelle *Divine* et vraiment, elle est géniale ! Si tu veux, visionne ce clip et rappelle-moi pour me donner ton avis.

– Maintenant, c'est impossible, ai-je répondu. On s'apprête à partir à la campagne. Mais ce soir ou au plus tard demain matin, je regarderai ça sur l'ordi de mes grands-parents et je te passerai un coup de fil. Promis !

Samedi 7 août

Toute la famille Aubry est réunie ! (À part oncle Alex qui viendra peut-être le week-end prochain.) Bref, il y a une de ces **AMBIANCES** ! Je te laisse, cher journal. Mais je tiens à te rassurer : je n'ai pas oublié d'appeler Marie-Ève. C'est vrai que la nouvelle chanson de Lola Falbala est excellente. On aura du plaisir à la chanter en karaoké, toutes les deux !

Depuis ce matin, quand je pense à Karim, il se passe quelque chose de bizarre en moi. Ma tristesse s'est teintée de colère. Contre ses parents qui avaient pris cette stupide décision. Mais aussi un peu contre Karim, qui semblait se résigner. Il m'avait abandonnée ? Eh bien, moi, j'essaierais de l'oublier, na ! ! !

Dimanche 8 août

Cher journal, tu ne devineras jamais d'où on revient ? De la cabane à sucre ! Incroyable, non, en cette saison ? Mes grands-parents ont voulu faire une surprise à ma mamie belge qui n'est jamais au Québec au temps des sucres. Or, comme tout le monde le sait, elle aime beaucoup le sirop d'érable. Grand-papa avait réservé chez des gens qu'il connaît. On s'est retrouvés dans une minuscule cabane à sucre pour nous tout seuls, avec une gentille dame qui nous a servi le repas. On était 11 à table, sans compter Zoé qui est encore trop petite pour goûter les oreilles-de-crisse et l'omelette au sirop. Mamie Juliette était ravie. Nous aussi. Seul inconvénient…, je n'arrête pas de péter à cause des fèves au lard !

Lundi 9 août

Il n'y a pas que sur moi que les fèves au lard agissent, cher journal… Hier soir, Olivier, Félix et Caro se sont mis à pétarader, eux aussi… Ça puait dans notre chambre ! 4 × plus que lorsque Patrick Drolet s'y met en classe ! (Ce qui n'est pas peu dire…) Mes cousins et ma sœur étaient crampés de rire. On a ouvert la porte et la fenêtre pour ne pas mourir asphyxiés. Heureusement, ce matin, l'effet « fèves au lard » est terminé !

Mes parents, oncle Étienne, tante Sophie, mes cousins, Caro et moi, on est allés au parc d'hébertisme d'Arbre en Arbre, à Havelock. J'avais peur d'avoir le vertige. Mais Félix m'a rassurée.

– T'en fais pas, on est bien attachés. Tu ne risques pas de tomber !

Olivier a ajouté :

– L'an dernier, dans notre région, on a déjà fait un parcours le soir, à la lueur de la pleine lune.

Bref, on s'est bien amusés.

Vendredi 13 août

On a frôlé la catastrophe ! Plus précisément, j'ai failli être à l'origine d'une catastrophe. Bon, je t'explique, cher journal, même si, rien que d'y repenser, mon cœur se serre. Après le dîner, mamie Juliette, maman, tante Sophie, Zoé, Caroline et Félix sont partis se promener. Olivier et moi, on tournait en rond. Mon grand-père, qui s'apprêtait à monter dans sa chambre pour une petite sieste (papa et oncle Étienne s'étaient déjà éclipsés dans les leurs…), a proposé :

– Pourquoi n'iriez-vous pas voir les ânes de monsieur Ross ?

– Des ânes, y en a chez nous, à Port-au-Persil, a déclaré Olivier d'un air blasé.

Mais j'avais mon mot à dire :

– Toi, peut-être que tu as l'occasion d'en voir dans ton village, mais moi, ce n'est pas à Montréal que je croise des ânes. Et ce sont mes animaux de ferme préférés.

En 3e année, en effet, notre enseignante, madame Popovic, nous avait appris une chanson hyper triste sur un petit âne gris. C'était l'histoire d'un âne qui avait trimé dur toute sa vie. Un jour, il est mort de vieillesse, seul au fond d'une grange. Pendant que toute la classe entamait le chant, je me concentrais très fort pour empêcher mes larmes de couler. Je me souviens du début :

Écoutez cette histoire,
Que l'on m'a racontée.
Du fond de ma mémoire,

Je vais vous la chanter.
Elle se passe en Provence,
Au pays des moutons,
Dans le sud de la France,
Au pays des santons.

La suite, je ne m'en souviens plus. Et c'est mieux comme ça, car les paroles me brisaient le cœur. Bref, tout ça pour t'expliquer, cher journal, que depuis ce temps-là, j'adore les petits ânes. Et grand-papa le sait. J'ai laissé Cannelle à la maison, pour qu'elle n'aboie pas après les ânes. Mon cousin et moi, on a descendu le chemin Covey Hill. Plus loin, deux ânes, un gris et un blanc, broutaient de l'herbe dans un pré. Je les ai appelés. Relevant la tête, le blanc s'est approché. Le gris lui a emboîté le pas. J'ai caressé leur museau. Ils étaient adorables. L'âne blanc montrait ses dents. Malheureusement, je n'avais rien à manger pour lui. Alors, j'ai eu une idée. Je leur ai demandé :
– Vous voulez des carottes, les amis ?
– Des carottes ?! a répété Olivier. Tu ne penses pas qu'ils ont suffisamment à manger, avec toute cette herbe ? C'est bien une affaire de filles, ça, nourrir des ânes avec des carottes ! Et si tu crois qu'ils te comprennent… Ce sont des ânes anglophones. Monsieur Ross ne parle pas un mot de français.

Moi, je me fichais pas mal que les ânes soient anglophones, francophones ou hispanophones ! J'avais envie de leur donner des carottes.
– Bon, je t'attends ici, a grogné Olivier. Fais vite !

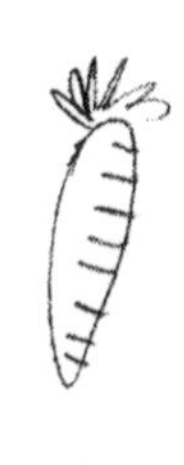

J'ai piqué un sprint jusqu'à la maison. Grand-maman, assise dans son fauteuil avec un roman policier, a levé la tête. Elle a dit :
– Tiens, je pensais que tu étais partie avec Olivier ?
– Je vais le rejoindre, ai-je répondu. Mais j'aimerais avoir quatre carottes pour les ânes.
– Tu en trouveras dans le réfrigérateur. Prends aussi des navets, si tu veux.

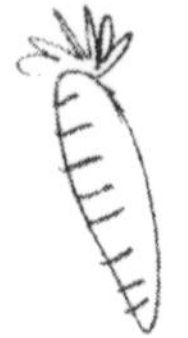

Quelques minutes plus tard, j'étais de retour. J'ai offert deux carottes à chaque âne sous le regard ironique de mon cousin. Mais les ânes, eux, les appréciaient. C'était le principal.
– Avoue que c'était une bonne idée, les carottes !
– Ah, les filles, ça doit toujours avoir le dernier mot ! a soupiré Olivier, pour la forme.

Mais, dans le fond, il avait l'air content d'être là avec les ânes et moi. Ensuite, j'ai tendu un des deux gros navets à l'âne gris. Après l'avoir longuement flairé, il l'a saisi délicatement entre ses dents jaunâtres. Il l'a roulé plusieurs fois dans sa bouche sans parvenir à mordre dedans. J'étais vaguement inquiète. Tout à coup, le pauvre animal s'est mis à tousser. Ses efforts pour expulser le navet le faisaient tressaillir. Horreur absolue ! Il risquait de s'étouffer ! Toute ma vie, j'aurais eu sur la conscience la mort d'un petit âne gris qui n'avait fait de mal à personne ! Tout ça à cause d'un maudit navet ! Olivier était sidéré.
J'ai lancé :
– Il faut faire quelque chose !

– Je ne veux pas aller chercher de l'aide, m'a-t-il répondu. Monsieur Ross est un vieux grincheux. Tu te rappelles la fois où il a détruit notre cabane parce qu'elle se trouvait dans son bois ? Et celle où il m'a chassé de sa grange en me menaçant avec sa fourche ? S'il apprend que j'étais dans les parages, il va croire que c'est moi qui ai eu cette idée débile de gaver ses ânes de légumes. Et je vais passer un mauvais quart d'heure…

Une auto arrivait sur la route. Pourvu que ce ne soit pas le féroce monsieur Ross ! Nous dépassant, le véhicule a poursuivi son chemin. Fiouuu… Dans la bouche de l'âne, le navet roulait de plus en plus vite. Les yeux de l'animal roulaient aussi. **C'était terrible!** Olivier s'est écrié :
– Je vais essayer de retirer le navet !
– Attention ! Tu risques de te faire mordre !
Peine perdue. Il était déjà passé sous le fil barbelé.

L'âne a fait entendre une toux plus rauque qui ressemblait à un râle. Jaillissant comme un boulet de canon, le navet a atterri sur le jeans de mon cousin.

Il a contemplé d'un air écœuré la traînée de bave sur son pantalon avant de s'exclamer :
– Dégueu !
– Oh, Olivier, tu es mon héros ! ! ! lui ai-je déclaré avec fougue.
– Moi ? Mais je n'ai rien fait ! a-t-il protesté en franchissant la clôture en sens inverse.
– Peu importe ! L'essentiel, c'est que l'âne soit sain et sauf !

Fiouuu ! Et moi qui m'étais déjà imaginé devoir filer en douce avec mon cousin tandis que l'âne aurait agonisé sur l'herbe, agité de spasmes et les yeux exorbités. Et que l'autre âne se serait mis à braire pour alerter monsieur Ross. Je l'avais échappé belle ! L'âne gris aussi, d'ailleurs...

Tout à coup, j'ai eu peur que le fermier ne découvre le navet. En effet, si l'incident avait mal tourné, ce gros légume aurait constitué la pièce à conviction du crime. Ou, pire, j'ai pensé que l'âne blanc, en essayant à son tour de le manger, risquait lui aussi de s'étouffer ! Alors, même si j'étais dégoûtée, je n'avais pas le choix. Me faufilant sous la clôture, j'ai ramassé le navet gluant à l'aide du sac en plastique dans lequel j'avais apporté les légumes. J'en ai profité pour caresser le petit âne gris. Il ne semblait pas m'en vouloir. Et sur le chemin du retour, j'ai balancé les deux navets dans le fossé, parmi les mauvaises herbes. Ni vu ni connu !

Après le souper, mamie Juliette a soupiré d'aise.
– Une autre merveilleuse journée !
– C'est vrai, et pourtant, nous sommes le vendredi 13 ! a annoncé grand-maman.
– Ah oui ?! s'est exclamé Félix. On ne le dirait pas ; il ne s'est rien passé d'épouvantable, aujourd'hui.

« Non, ai-je pensé, mais il s'en est fallu de peu. Ce vendredi 13 a failli être digne de sa réputation... » Papa a lancé :
– La journée n'est pas encore finie. Pour faire honneur à ce vendredi 13, on pourrait jouer au jeu du meurtrier.

Proposition adoptée à l'unanimité. Grand-papa a sorti le jeu de société de l'armoire et on a joué trois parties endiablées. Les meurtriers étaient :

- 1re partie : Félix.
- 2e partie : oncle Étienne.
- 3e partie : moi ! (Mais je préfère être une meurtrière pour de faux plutôt que d'éliminer dans la vraie vie un brave petit âne qui ne m'avait rien fait du tout, sniff…)

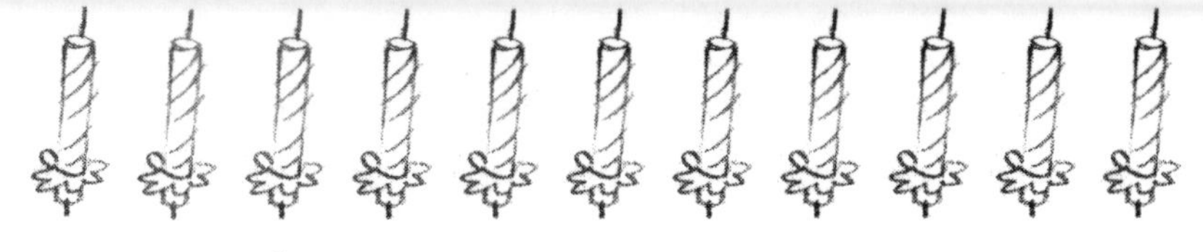

Dimanche 15 août

Ça y est, cher journal, j'ai 11 ans ! (Enfin !)

Oncle Alex, qui n'était pas sûr de pouvoir venir, est finalement arrivé ce midi. Youpi ! En l'apercevant, Zoé a ouvert de grands yeux. Elle lui a décoché son plus beau sourire. Alex lui a tendu les bras et notre bébé chéri s'y est littéralement jeté. S'adressant au hardi voyageur de la famille, Caroline lui a dit :

– Je ne me souviens plus où tu vas partir.

– En Afrique de l'Est. Je m'envole pour la Tanzanie dans une semaine, puis j'irai au Kenya.

– Tu vas faire un safari photo ? lui a demandé Félix.

– Il est possible que je voie des zèbres, des antilopes, des lions et même des hyènes. Mais ce n'est pas le but premier de mon voyage. Je m'en vais à la rencontre du peuple masaï.

Le menu de mon dîner de fête

Salade du jardin avec vinaigrette à l'érable

Pommes de terre rôties au romarin

Filet de porc au barbecue,
spécialité de grand-papa

Surprise au chocolat de grand-maman

Lorsque grand-maman a apporté son gâteau à table, toute la famille a entonné : « Bonne fête, Alice ! » Oncle Alex a pris des photos de moi. Et une autre de moi, papa et Zoé (sur ses genoux et sa sucette en bouche) qui fixait les 11 petites flammes d'un air fasciné. Ensuite, je les ai éteintes d'un seul souffle.

– Vive Alice !

– Si on rallumait les chandelles et qu'on se regroupait derrière la jubilaire ? a proposé oncle Alex aux autres.

Après avoir fixé son appareil sur un trépier, il est venu nous rejoindre pour être sur le cliché, lui aussi. Papa a demandé à son bichon d'enlever sa sucette.

– Ce sera plus joli sur la photo. Et il faut souffler. Comme ça : « Pfffff… »

« Pfffff… », a fait le bichon. Sans avoir ôté sa sucette. Celle-ci a atterri au milieu du gâteau à l'instant où le flash se déclenchait !

Caroline s'est écriée :

– BEURK ! ! !

Zoé, surprise, s'est mise à pleurer. Papa a soufflé les bougies avant de retirer la sucette couverte de glaçage au chocolat. Il a dit :

– Tiens !

Et notre bébé chéri a ouvert grand sa bouche pour la saisir.

– Tu n'aurais pas dû, Marc ! s'est écriée maman. À son âge, elle pourrait développer des allergies alimentaires !

Trop tard ! Zouzou avait l'air TRÈS satisfaite. Elle venait de découvrir le chocolat et elle adorait ça.

(Heureusement qu'Éléonore n'était pas là... Elle, qu'un rien dégoûte, n'aurait JAMAIS voulu toucher au dessert décoré par la sucette pleine de salive de ma p'tite sœur !)

Surprise : quand oncle Étienne a découpé le gâteau, j'ai vu qu'entre les couches de glaçage, il était non pas blanc mais vert ? ! ? Je l'ai goûté. Sur mes papilles gustatives, deux saveurs ont éclaté : celle du chocolat, bien sûr, mais aussi celle de la menthe ! Grand-maman avait adapté sa recette en pensant à moi.
– Tu aimes ? m'a-t-elle demandé.
– C'est succulent ! Merci grand-maman !
Après avoir plongé à son tour sa fourchette dans son morceau de gâteau, elle a déclaré :
– Tu as raison, il est vraiment bon. Comme c'était mon premier essai, je n'étais pas sûre du résultat.
– C'est la chance du débutant, a commenté oncle Étienne. Il est parfait !
– Aussi délicieux que ceux qu'on a mangés à Paris, a renchéri mamie Juliette en me faisant un clin d'œil.

Après le repas, maman a lancé :
– Et maintenant, c'est le temps des cadeaux. Suivez-moi.
Super ! C'est ce que j'ai fait. Mais pourquoi moumou sortait-elle de la maison ? Devant la galerie, une bicyclette flambant neuve était appuyée sur sa béquille. Une bicyclette de montagne, bleu métallisé, de taille adulte. Je me suis exclamée :
– Hein ! C'est pour moi ? !

– Oui, a dit papa, tout souriant. C'est ta maman et moi qui te l'offrons.
– Oh, merci !
– WOW, elle est belle ! s'est écriée Caro en descendant les marches de la galerie pour aller l'examiner.

Après avoir embrassé mes parents, j'ai rejoint ma sœur et Cannelle, qui flairait l'engin. D'une part, j'étais bien contente de recevoir un vélo. C'est tout un cadeau ! Oncle Alex nous a un jour raconté qu'en Afrique des tas d'enfants et d'adultes rêveraient d'avoir une bicyclette pour se rendre à l'école ou au travail. Dans certains endroits du monde, c'est un luxe d'en posséder une, j'en suis consciente. Mais, d'autre part, au fond de moi, même si j'ai honte de l'avouer, je me sentais un peu déçue. Et le iPod touch que je désirais tant et dont j'avais parlé à plusieurs reprises devant mes parents ? ! Allais-je devoir patienter jusqu'à mes 111 ans pour en recevoir un ? Si c'était le cas, je me l'achèterais moi-même, na ! ! ! Avec l'argent de poche que je pourrai gagner en allant garder les petits Bergeron. Heureusement, personne ne semblait réaliser que le vélo n'était pas le cadeau que j'espérais. J'ai questionné papa :
– Elle n'est pas un peu grande pour moi, cette bicyclette ?
– Non, a-t-il répondu. Lorsque j'aurai baissé la selle et ajusté le guidon, elle sera à ta taille. Et puis, n'oublie pas que, bientôt, tu connaîtras une forte poussée de croissance.

– Voici un présent pour une future ado ! a déclaré tante Sophie. De la part de notre petite famille ainsi que de grand-maman et grand-papa.

En déballant le mini-cadeau qu'elle m'avait remis, je n'osais y croire. Mais oui, c'était bien le iPod de mes rêves ! Ils s'étaient cotisés pour me l'offrir. Avec un étui mauve. WOW ! WOW ! WOW ! Quel anniversaire ! ! ! Et ce n'était pas fini… À son tour, Oncle Alex m'a tendu un paquet. Il était bien trop grand et trop lourd pour contenir de nouveaux cahiers destinés à mon journal intime. Pas grave, il m'en reste encore deux. Dans une boîte, j'ai trouvé des cordes de toutes les couleurs, tressées et emmêlées. ? ? ? ? ?

Mon père a compris le premier.

– C'est un hamac !

– Un hamac ? ! ai-je répété en ouvrant des yeux grands comme ça.

– Eh oui ! a répondu oncle Alex. Je l'ai rapporté du Mexique pour ma nièce qui m'a déjà dit qu'elle aimerait un jour passer ses vacances sur une plage mexicaine. En attendant, Alice, tu pourras te la couler douce au fond de votre jardin, en imaginant que tu te trouves à Acapulco. Marc pourrait le fixer entre le tronc de votre lilas et un poteau. Il en existe qui sont spécialement conçus pour accrocher les hamacs.

– YÉÉÉÉÉ ! ai-je crié en sautant au cou de mon oncle.

– En fait, c'est un cadeau à partager avec tes sœurs et tes parents, a-t-il précisé. J'ai d'ailleurs rapporté deux autres hamacs. L'un est destiné à Port-au-Persil…

– YES ! a lancé Olivier.

– … et l'autre pour p'pa et m'man. En fait, il s'agit de votre cadeau de Noël à tous. Je vous l'offre en avance parce que, pendant la période des fêtes, je serai au Népal. Et puis, comme ça, vous pourrez déjà profiter de vos hamacs d'ici la fin de l'été.

– Ça, tu peux y compter ! a lancé mon père. Ce sera parfait pour ma sieste du dimanche après-midi ! N'est-ce pas, Astrid ?

Prenant un air comique, ma mère a levé les yeux au ciel.

– Celui-là et ses siestes !

– Chère belle-sœur, tu dois te faire à l'idée que les siestes sont inscrites dans les gènes des hommes de la famille Aubry, a dit oncle Étienne.

Son ton était solennel, mais ses yeux pétillants trahissaient son humour.

– Ça, c'est bien vrai, a acquiescé grand-maman. Benoît est un grand amateur de siestes !

– C'est donc tout naturel que Marc, Alex et moi, nous tenions de lui, a poursuivi Étienne. Tel père, tels fils !

Papa lui a fait une accolade.

– Merci, Étienne, de prendre la défense de ton pauvre frère devant son impitoyable femme !

L'impitoyable femme en question (moumou), sa mère (mamie Juliette) et sa belle-mère (grand-maman Francine) ont éclaté de rire. Il faut avouer que mon père et ses frères forment une fameuse équipe quand ils s'y mettent !

zzzZ
Benoît
Aubry
zzzZ

zzzZ
Marc
Aubry
zzzZ

zzzZ
Étienne
Aubry
zzzZ

zzzZ
Alex
Aubry
zzzZ

21 h 03. De retour rue Isidore-Bottine. On défaisait nos bagages lorsque la sonnette de la porte d'entrée a retenti. C'était madame Baldini qui m'apportait un plat de tiramisu. Elle souligne toujours notre anniversaire, à Caro et à moi. Comme c'est gentil ! Mes parents, qui couraient de bas en haut avec les valises et le panier de linge sale, n'avaient rien prévu comme souper. Le copieux repas de ce midi était déjà loin… et à la vue du plat de notre voisine et surtout de son contenu, l'appétit de la famille Aubry-Vermeulen s'est brusquement réveillé. On s'est tous retrouvés autour de la table de cuisine, comme attirés par un aimant (le tiramisu !). On aurait dit un film en accéléré : maman a sorti le lait et le lait de soya du frigo, papa a mis les napperons sur la table, mamie a pris les verres, les cuillers et les assiettes dans l'armoire. Caro m'a tendu ces dernières et j'ai partagé le dessert crémeux au café. On s'est littéralement jetés dessus, comme si on n'avait rien avalé depuis la veille. Seuls des bruits de cuiller, des « mmm… », des « c'est si bon ! » trouaient le silence. Bref, moins de 5 minutes après que madame Baldini l'ait apporté, il ne restait déjà plus une miette de mon deuxième dessert de fête.

Mamie et moi, on terminait la vaisselle quand le téléphone a sonné. C'était Marie-Ève qui m'a chanté « Bonne fête ! ». Elle était heureuse pour moi que j'aie reçu un iPod. On se voit dans deux jours.

Bref, mon cher journal, j'ai ADORÉ ma journée de fête !

Merci au soleil qui a brillé toute la journée !

Merci à toute ma famille qui m'a tant gâtée !
Merci à madame Baldini et à ma meilleure amie qui ne m'ont pas oubliée !
Merci à la vie !

P.-S. Et merci à Cannelle d'être là à mes côtés. Tiens, elle n'a pas eu droit au gâteau chocolat-menthe ni au tiramisu. Je vais lui offrir quelques Crocolatos pour qu'elle participe aussi à la fête.

J'ai déposé mon précieux iPod sur ma table de chevet. Papa m'a donné le mot de passe pour la connexion WiFi qui me permettra de me connecter sur le Web. Dès qu'il aura du temps, il m'aidera à télécharger de la musique et des jeux gratuits. Car demain matin, il reprend le chemin du travail. Moi, il me reste encore une semaine et demie de vacances. Bon, cher journal, je vais me coucher. Ce que je trouve merveilleux, c'est que la première nuit de mes 11 ans, je la passerai dans ma nouvelle chambre. Bien sûr, les murs sont nus (on n'avait pas pu les décorer avant de partir pour Covey Hill, car la peinture devait sécher). On s'en occupera demain, Caro et moi. En attendant, je sens que je vais faire de beaux rêves turquoise.

Lundi 16 août

Après avoir replacé la carte du monde au-dessus de mon bureau, j'ai piqué toutes les punaises dans les anciens trous.

Et le poster de Lola Falbala jaillissant des vagues, je l'ai mis au-dessus de mon lit.
– Quelle chambre lumineuse ! s'est exclamée maman qui arrivait avec un panier de linge propre. J'espère, Biquette, que désormais, tu la garderas en ordre.
Pffffff... C'est *ma* chambre ou la sienne ?

Papa est rentré du travail au moment où je dressais la table sur la terrasse. Après avoir embrassé son homme, maman s'est enquise :
– Comment va Sabine Weissmuller ? Elle a passé de bonnes vacances ?
– Excellentes. Elle est d'ailleurs revenue dangereusement en forme ! Elle m'envoie à Toronto dès jeudi matin. Je serai de retour vendredi soir. Sabine a aussi demandé à toute l'équipe de tester le dernier modèle de téléphone.
J'ai signalé à mon père :
– Jeudi, mes amies seront là pour ma fête. Le hamac sera déjà installé ? Et mon iPod ? Pourras-tu me télécharger des chansons ?
– Je pensais m'occuper du hamac et de ton iPod cette fin de semaine, ma puce. Je suis débordé, mais je ferai mon gros possible pour faire tout ça d'ici jeudi.
– Merci, papa !

On soupait quand, tout à coup, on a entendu : « Meuuh ! Meuuuuh ! » Mamie a froncé les sourcils. Car des vaches, on n'en croise jamais à Montréal. Eh bien, apparemment, il y en avait une dans le salon ! ! ! Cannelle s'est précipitée

dans la pièce en aboyant, suivie par papa, Caro et moi. Le paternel a ordonné à notre chienne de se taire. Puis, il a saisi quelque chose sur la petite table et s'est mis à parler. TILT ! Ce meuglement était la sonnerie de son nouveau cell ! Maman, qui nous avait rejointes, a bougonné :
– Je parie que c'est sa patronne qui appelle ! Ça y est, nos soupers seront à nouveau interrompus... Comme si Sabine Weissmuller ne pouvait pas attendre le lendemain matin pour parler à Marc !

Mardi 17 août

Puisque mamie Juliette occupe la chambre du sous-sol, on dormira dans ma chambre, Marie-Ève et moi. Cependant, je n'ai pas envie de pousser mon lit contre celui de Caro et d'installer le matelas gonflable maintenant. Je préfère attendre que mon amie ait vu ma chambre.

19 h 15.
– WOW, quel changement ! s'est-elle exclamée en entrant. C'est tout simplement magnifique.

Quelle joie de se retrouver, après 5 semaines passées loin l'une de l'autre. Je portais le tee-shirt *Best Friends Forever* et lui ai offert le second. Elle l'adore (je n'étais pas inquiète) et l'a tout de suite enfilé. Nous, les deux jumelles non identiques, on s'est prises en photo ! Bon, je te laisse, cher journal, car on a des tas de choses à se raconter. Direction : le hamac, que le gentil poupou a mis en place avant le souper.

Mercredi 18 août

Hier soir, Caroline et Cannelle dormaient depuis longtemps. Marie-Ève et moi, on papotait encore dans le noir, doucement, pour ne pas les réveiller. J'ai expliqué à mon amie ma mésaventure avec les ânes et les navets. Elle était horrifiée à l'idée de ce qui aurait pu arriver.

Après ça, je lui ai demandé :
– Et ton séjour d'équitation, c'était bien ?
– Plus que bien ! J'ai retrouvé Vega, la jument que je montais déjà l'an dernier…

Lorsque Marie-Ève est lancée sur le sujet des chevaux, il est impossible de l'arrêter (ou presque) !
– L'an prochain, tu n'aurais pas envie de m'accompagner, Alice ?
– Je rêverais d'aller au camp d'été avec toi ! Mais pas pour faire de l'équitation.
– Toi qui adores les ânes, ça m'étonne que tu n'apprécies pas les chevaux.
– Oh, je les aime, ai-je rétorqué. Mais derrière une clôture. Ou dans les romans que tu me prêtes. Ce que je n'aime pas, c'est l'équitation.
– Ça, c'est un mystère pour moi !
– Je ne t'ai jamais raconté ce qui m'était arrivé la seule et unique fois où je suis montée à cheval ?
– Non.
– Un été où je me trouvais en Belgique, mamie Juliette nous

Pour Alice, équitation rime avec frissons !

avait inscrites à un cours d'équitation, Lulu et moi. Une dame nous a amenées à l'écurie. Tout allait bien jusqu'au moment où elle m'a tendu la longe. Au bout, il y avait un cheval noir. Gigantesque. Elle m'a dit : « Voilà, je te présente Sultan. Conduis-le au manège. » Impressionnée, j'espérais qu'il me suivrait docilement. Pas du tout ! Il s'est couché les quatre fers en l'air. Épouvantée à l'idée de recevoir un coup de sabot, je n'avais qu'une envie : prendre mes jambes à mon cou. Mais je n'ai pas osé lâcher la longe. La prof est accourue à ma rescousse. Elle a fait relever le cheval. Quelques minutes plus tard, perchée sur lui, je n'étais guère plus rassurée. Mamie a pris ses cavalières en photo. Sur la mienne, j'ai beau essayer de sourire, ma bouche est crispée. Bref, ce Sultan m'a traumatisée.
– Pauvre Alice, tu n'as pas eu de chance ! Moi, lors de mon premier camp d'équitation, j'ai eu Pâquerette, un poney adorable.

Pour Marie-Ève, équitation rime avec passion !

Marie-Ève s'est mise à bâiller. Moi aussi, je tombais de sommeil. Pas étonnant, il était 22 h 30. Mon amie m'a encore dit :
– C'est jeudi qu'on te fête, Alice ! Quelle belle journée on va passer avec Jade et les autres ! Et dire que dans trois soirs, c'est le spectacle de Lola… Je suis *full* impatiente ! Tu es toujours d'accord pour me prêter ton tee-shirt argenté pour l'occasion ?
– Bien sûr. Bonne nuit, Marie.
– Toi aussi, Alice. Fais de beaux rêves.

M'endormir m'a pris du temps, finalement. Je dois te confier un secret, cher journal. D'habitude, je ne suis pas du genre jalouse. Mais, pour une fois, je ne pouvais m'empêcher d'envier ma meilleure amie. Pour elle, c'était naturel d'assister au spectacle de Lola Falbala. Le fait que moi, je ne puisse pas y aller, je considère déjà ça comme une injustice. Je n'ai pas besoin, en plus, que Marie-Ève retourne le fer dans la plaie. Ce n'est pas la première fois qu'elle me parle avec enthousiasme de la soirée du 20 août. Si j'étais à sa place, je ferais preuve de plus de discrétion. Après tout, c'est moi qui l'ai mise au courant de ce concert. Si je ne le lui avais pas signalé, elle n'aurait peut-être pas été sur lola-falbala.com avant que tous les billets ne soient vendus… Bref, je suis un peu mêlée dans mes sentiments. JE DÉTESTE ÇA, envier ma meilleure amie. Ça me fait sentir… pas gentille. Ou pire, mesquine. Bon, ça va déjà mieux. Merci, cher journal, de m'avoir permis d'exprimer mes sentiments sans me juger. En fait, Marie-Ève n'y peut rien. C'est moumou, la coupable. Mais elle ne perd rien pour attendre ! Une fois au secondaire, que ça lui plaise ou non, j'assisterai à des concerts avec mes amis ! Même si j'aimerais porter mon tee-shirt de Lola Falbala pour la fête de demain, je n'en ferai rien. Je le garderai propre pour mon amie. Qu'elle en profite, de cette sensationnelle soirée ! Au moins, elle me racontera tout.

Jeudi 19 août

C'est pratique, le bain du soir de Marie-Ève. Ça me laisse toujours le temps de te tenir au courant des derniers événements, cher journal. Mes amies sont arrivées vers 14 h. Il est 20 h 35 et Audrey, qui était la dernière, vient de partir. Audrey, justement, avait apporté son jeu de Twister. On a tellement ri sur le tapis de plastique aux pastilles de couleur ! Cannelle nous observait d'un air inquiet. À un moment donné, on s'est retrouvées tout emmêlées, dans des positions invraisemblables. Bondissant sur nous en aboyant, Cannelle a fait tomber Marie-Ève et Jade qui ont poussé des cris effrayés ! Pensant que j'étais en mauvaise posture, ma chienne dévouée avait simplement voulu me sauver. Maman lui a mis sa laisse et l'a emmenée en promenade. Pendant ce temps, mamie a pris des photos de nous, les inséparables de la 5e B (enfin, bientôt de la 6e ! B ? A ?… l'avenir nous le dira).

Ensuite, on a dansé au son du nouvel album de Lola Falbala. (Sur le iPod de Marie-Ève, car si papa avait accroché le hamac au jardin, il n'avait pas trouvé le temps de s'occuper de mon iPod.) Moi, c'était la première fois que je l'entendais. Il est tout aussi bon que le précédent. Sa chanson *Divine* est… divine. Et *Lollypop, Lol-e-Pop !*, le morceau qu'elle dédie à son chihuahua, vraiment *cute*.

Maman et mamie avaient décoré la terrasse avec des ballons. Il y avait de la limonade maison et du Citrobulles. Des crottes au fromage, des chips au barbecue et au ketchup. Et le délicieux gâteau aux bleuets de moumou.

Après, on s'est installées au fond du jardin pour la distribution des cadeaux. Assises sur le hamac comme sur un sofa, Africa, Jade et Audrey se balançaient doucement. Catherine Provencher a annoncé :

– Je commence !

J'ai reçu une belle carte signée par elle et Catherine Frontenac. C'était d'ailleurs cette dernière qui l'avait confectionnée. En ouvrant le paquet de Catherine Provencher, j'y ai trouvé les gougounes chic que j'avais admirées lors de notre sortie entre filles au Carrefour Laval, au début des vacances. Hein ? !

– Hé, hé, je t'ai bien eue ! s'est exclamée Catherine. Ce jour-là, j'ai fait semblant d'acheter ces tongs pour moi. Mais, en fait, c'est pour toi que je les ai prises ! C'est mon cadeau, mais aussi celui de Catherine (Frontenac). Car, même si elle est en Abitibi avec sa famille, elle tenait à souligner ta fête.
L'amitié, quand même, cher journal, il n'y a rien de tel.

D'Africa, j'ai reçu un billet de 20 $ « pour télécharger le disque *Fabulous Falbala* sur ton iPod, m'a-t-elle expliqué. Et il te restera encore des sous pour télécharger d'autres chansons. » *Un cadeau idéal, lui aussi !*

D'Audrey : le nouveau numéro du *MégaStar* *(cool !)* + un poster de Tom Thomas qui surfe sur une vague. *(Il ira vraiment bien dans ma nouvelle chambre !)*

De Jade : des boucles d'oreilles vraiment mignonnes. ☺ *Merciii !* + une carte-poème qui m'a beaucoup touchée. Tiens, comme elle n'est pas très grande, je vais la coller ici. Monsieur Gauthier serait content de savoir que ses anciennes élèves continuent à composer des poèmes.

♡Bonne fête Alice♡

Pour moi Alice s'écrit avec un grand A
Comme dans AMITIÉ.
Tu fais partie de mes amies préférées,
Celles sur qui on peut compter.
Il ne faut pas en douter !
Dans mon ♡ pour l'éternité.

☺Jade xox

Marie-Ève s'est éclipsée. Je pensais qu'elle se rendait aux toilettes. Eh bien non, car moins d'une minute plus tard, elle était de retour avec un très gros paquet rose surmonté d'un nœud blanc nacré.

– Bonne fête ! s'est-elle écriée en m'embrassant sur les deux joues.

Après avoir déchiré l'emballage, j'ai ouvert la boîte en carton. Dedans, il y avait… une autre boîte ! Qui, elle, en contenait une 3e. Intriguée, je continuais à ouvrir des boîtes de plus en plus petites.

– C'est le même principe que les poupées Matriochka ! a constaté Africa.

La 8e était rectangulaire et noire. On pouvait y lire, en bleu vif : ***Les plumes Reeves. Pour écrire avec style !***

– J'ai deviné ! a lancé Audrey. Un beau stylo à bille, pour toi qui aimes tant écrire.
– Pour rédiger ton journal intime *avec style,* a précisé Jade.
Dans cette dernière boîte, je n'ai pas trouvé de stylo, mais bien un ticket argenté sur lequel était imprimé :

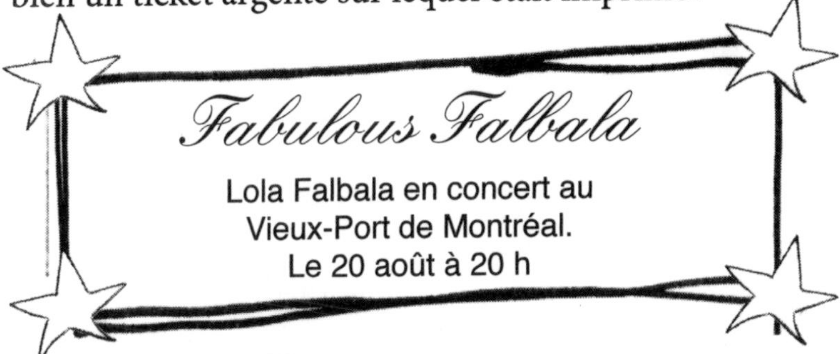

Fabulous Falbala

Lola Falbala en concert au
Vieux-Port de Montréal.
Le 20 août à 20 h

JE *n'en* croyais **PAS** mes **YEUX.** À l'instant où je les ai relevés, j'ai croisé ceux de ma meilleure amie. Ils pétillaient de joie.
– Hé, hé, qu'en dis-tu ?
– Je vais assister au spectacle avec toi ? !
– Eh oui, ma chère ! J'avais terriblement hâte de te donner ton cadeau ! Ça fait presque deux mois que j'attends cet instant !
Deux mois ? TILT ! Elle le savait dès le début. Sa mère avait acheté non pas 2, mais 3 billets ! Je n'en revenais pas encore. Déclic : si ma meilleure amie me parlait parfois du concert avec enthousiasme, ce n'était pas par manque de délicatesse, mais parce qu'elle savait que je l'accompagnerais. Et qu'elle brûlait d'impatience de me l'annoncer.
– Oh merci, Marie-Ève ! ! ! C'est génial ! Et moi qui me morfondais en pensant que Lola serait à Montréal et que j'allais rater sa venue. Merciiiiiiii !

Maman s'est approchée. Elle a enjambé les cartons qui jonchaient le gazon. Aïe ! Au mois de juin, elle avait refusé que j'accompagne mon amie au spectacle. J'ai soudain eu peur qu'elle campe sur ses positions, même si j'avais reçu le billet en cadeau. Et qu'elle m'humilie devant mes amies en prétendant une fois de plus que les concerts pop, c'est pas pour les enfants du primaire. Elle a dit :

– Tu as été gâtée, il me semble, Alice !

J'ai bien été forcée de lui montrer le billet de concert.

– Stéphanie Poirier m'avait téléphoné pour me demander si Marie-Ève pouvait te faire cette surprise, a commenté moumou en souriant. Elle y tenait tant !

Je n'en revenais pas. Ma mère était déjà au courant ! Fiouuuuu...

– J'y serai moi aussi, à ce concert, a déclaré Audrey. Avec mes cousines. C'est un événement à ne pas manquer !

Bref, cher journal, je suis folle de joie ! En plus, Marie-Ève dort encore ici ce soir, car sa mère vient de recevoir un appel pour travailler demain au centre-ville comme maquilleuse sur le plateau de tournage d'un film. Puisque papa ne rentrera de son voyage d'affaires que vendredi vers 22 h, c'est maman qui nous conduira en ville demain soir. On a rendez-vous avec madame Poirier à 19 h au Vieux-Port.

Vendredi 20 août

Lorsque Marie-Ève et moi on s'est réveillées, ce matin, Caro, déjà debout, nous a annoncé :

– Dans quatre mois et cinq jours, c'est Noël !

Ma sœur me surprendra toujours, cher journal. Par ce temps radieux, je ne pense pas à Noël. Mais plutôt à la fabuleuse soirée qui nous attend, ma *best* et moi.

18 h 03. On s'apprête à partir ! Je suis tellement excitée que j'ai une folle envie de bondir et de rebondir sur mon lit. Mais je me retiens. En effet, je serais gênée de le faire devant Marie-Ève…

Alors qu'on s'habillait pour le concert, je lui ai tendu le tee-shirt de Lola Falbala.

– Mais non, Alice. Mets-le, toi ! Si j'avais demandé que tu me le prêtes, c'était simplement pour brouiller les pistes.

– C'est *ton* tee-shirt, au départ !

– Oui, mais je te l'ai donné !

C'est alors que ma meilleure amie a eu une idée brillante.

– Et si on portait toutes les deux nos tee-shirts *Best Friends Forever?* Ce serait chill, non ?

On s'est maquillées avec la trousse de maquillage de Lola Falbala, que Marie-Ève avait apportée. Bon, je te laisse, cher journal. Je te raconterai tous les détails demain !

P.-S. Je te rassure : je n'ai PAS oublié mon billet de concert. Il se trouve dans le petit sac que je porte en bandoulière.

Lorsqu'on s'apprête à aller voir Lola Falbala sur scène, ce n'est pas le moment d'être distraite.

Samedi 21 août

Hier soir, Marie-Ève et moi, on attendait maman dans la fourgonnette. Au moment où elle ouvrait la portière du conducteur pour nous rejoindre, elle a lancé :

– Bonsoir, madame Baldini !

Notre voisine du 54 s'était arrêtée à notre hauteur.

– Désolée, mais nous sommes pressées, a poursuivi maman. Je vais conduire Alice et son amie en ville. Elles vont assister au spectacle de Lorna Fabulous.

À travers la vitre, madame Baldini nous a fait de joyeux signes en guise de bye-bye.

Je l'ai saluée distraitement de la main. « Lorna Fabulous », avait dit maman… Il fallait que je garde mon calme. Après avoir respiré PROFONDÉMENT par le nez, j'ai expliqué à ma mère, pendant qu'elle démarrait :

– *Fabulous* fait partie du titre du nouvel album de notre chanteuse préférée : *Fabulous Falbala*. Mais elle, elle s'appelle Lola Falbala.

On venait de s'engager sur la bretelle de l'autoroute 15 quand maman s'est exclamée :

– Zut !

– Quoi ? lui ai-je lancé.

– Le réservoir d'essence est quasi vide. Le voyant lumineux se trouve dans le rouge depuis hier. J'ai pas mal roulé ce matin mais je n'ai pas pensé à faire le plein. Je vais prendre la prochaine sortie. Il y a une station-service, tout près.

Oh non!...

– Tu ne pourrais pas faire le plein *après* nous avoir déposées? lui ai-je demandé.

– Non, jamais nous n'arriverions au centre-ville. Ce serait la panne sèche.

Lorsqu'on s'est arrêtées devant la pompe, un jeune homme s'est précipité pour nous servir. C'est alors que, crois-le ou pas, cher journal, maman a poussé un deuxième «zut!».

– Zut de zut! a-t-elle même répété, l'air franchement contrarié.

– Qu'est-ce qu'il y a encore? me suis-je inquiétée.

– J'ai oublié mon sac à main! Je n'ai pas d'argent.

Marie-Ève et moi, on s'est regardées, consternées.

– Un instant, monsieur, a-t-elle dit au pompiste.

En attendant que sa cliente se décide, il est allé servir un autre automobiliste.

– Tu peux payer avec ta carte de crédit, ai-je signalé à moumou.

– Impossible, elle aussi se trouve dans mon sac.

On n'avait plus le temps (et sans doute plus suffisamment d'essence) pour aller chercher son sac à la maison. Dire que tout ça se passait en présence de Marie-Ève... J'étais super gênée.

– J'ai 50 sous, a déclaré mon amie, en tendant deux pièces de monnaie à maman.

Celle-ci a aussi trouvé 68 sous dans le coffre à gants. Elle a donc demandé au pompiste pour 1,18 $ d'essence…

Lorsqu'elle a redémarré, je l'ai houspillée :

– Dépêche-toi !

En effet, il était 18 h 44. Marie-Ève a dit :

– J'aimerais prévenir maman qu'on aura du retard. Je ne voudrais pas qu'elle s'inquiète. Pouvez-vous me passer votre cellulaire, madame ? GRRR… GRRR… GRRR.

– Elle n'en a pas, ai-je dû rappeler à mon amie.

Ma mère dont le conjoint travaille dans une grande compagnie de téléphones mobiles et qui n'a jamais voulu de cell… Cette fois, si elle avait osé nous suggérer de trouver 10 points positifs à la situation, j'aurais **EXPLOSÉ !** **BOUM !** Car il n'y en a pas de point +.

À cause des embouteillages, il était 19 h 30 quand on est arrivées au centre-ville. C'est alors qu'on est tombées en panne (eh oui, avec 1 $ et quelques d'essence, on ne va pas très loin…). Heureusement, une place de stationnement venait de se libérer. Deux passants nous ont aidées à pousser la fourgonnette. La voilà qui était garée.

– Qu'est-ce qu'on fait maintenant ? a soupiré Marie-Ève, au bord des larmes.

La pauvre, sa merveilleuse surprise se transformait en cauchemar. On allait rater le début du spectacle. De plus,

elle s'en faisait pour sa mère qui devait se ronger les sangs en se demandant ce qui nous était arrivé.
– Venez, on va courir jusque-là, a proposé maman.

Quelques minutes plus tard, j'essayais de reprendre mon souffle à un feu rouge. On était toutes les trois en sueur. Bref, cher journal, on avait l'air de vraies folles ! Un cocher à bord de sa calèche a arrêté son attelage à notre hauteur. Puis, il s'est adressé à nous :
– Vous êtes dans l'ennui ?
– Oui, ai-je répondu en jetant un regard assassin à ma mère. On doit se rendre au Vieux-Port, pour le concert de Lola Falbala, mais on est tombées en panne d'essence. Et le spectacle commence dans 14 minutes…

L'homme a dit :
– Eh bien, montez.
– J'ai oublié mon portefeuille à la maison, a déclaré maman.
– C'est pas bien grave, madame, j'ai fini ma journée. En prenant des petites rues tranquilles, on y sera vite.

On a grimpé dans la calèche. S'adressant à sa jument, le cocher a lancé :
– Allez, Pimprenelle, on y va !

Marie-Ève et moi, on a remercié ce si gentil monsieur.
– Comment vas-tu rentrer à la maison ? ai-je demandé à ma mère.
– En taxi.

Excédée, je lui ai rappelé :
– Mais tu n'as pas d'argent !

– Pas de problème. Je lui paierai la course une fois à la maison.

À 8 h - 7, on est arrivés au coin de la place Jacques-Cartier. Madame Poirier était là ! On a bondi de la calèche en remerciant encore le cocher.
– Je me demandais où vous étiez, s'est écriée Stéphanie Poirier. Je m'inquiétais !
– On t'expliquera, maman, a dit Marie-Ève.
– Bonne soirée ! nous a souhaité ma mère. Alice, ne t'éloigne sous aucun prétexte de Marie-Ève et de sa maman. Et si tu dois aller à la toilette…

L'interrompant net dans ses recommandations, Stéphanie a lancé :
– On y va !

Laissant moumou en plan, nous nous sommes élancées derrière elle au pas de course.

Lorsqu'on a trouvé nos places dans cet immense chapiteau (à la 5e rangée juste devant la scène), Marie-Ève et moi on a poussé un soupir de soulagement. On y était enfin ! Tandis qu'on cherchait Audrey des yeux, les lumières se sont éteintes. Une clameur s'est élevée dans la salle. Lola Falbala est arrivée sur scène, illuminée par un mince rayon de lumière blanche qui la suivait à mesure qu'elle s'avançait sur ses bottillons noirs à talons vertigineux.

Wow ! Elle portait une mini-robe léopard moulante et une veste en satin noir. Tout le monde s'est levé, s'est mis à crier de plus belle et à applaudir. On ne voyait plus rien, Marie-Ève et moi. Heureusement, dès que Lola a entonné Divine de sa voix pure comme du cristal, les spectateurs se sont calmés et rassis. Puis, sous les feux des projecteurs fuschia, trois musiciens ont pris place sur la scène. C'était PARTI !

Lola Falbala est aussi douée pour les chansons tendres et romantiques que pour celles qui déménagent, comme A real man ! Quelle énergie ! Comment peut-elle danser avec des talons pareils sans se tordre les chevilles ? Ça, ça m'épate. À un moment donné, elle a lancé sa veste dans la foule. C'était la folie ! Les gens se sont rués dessus. Un papa de la 3e rangée l'a attrapée. Sa fille à peine plus vieille que nous jubilait. Quelle chance elle avait ! À la fin du concert, pour la chanson Silver Star, Lola Falbala est arrivée sur scène dans un jeans noir (avec, sur chaque côté, une bande de paillettes qui étincelaient) et son tee-shirt argenté, identique à celui que portaient de nombreuses fans ! Puis, il y a eu un rappel. Alors qu'elle entamait Feel my Love, plein d'écrans de cellulaires tenus à bout de bras se sont allumés et on a tous chanté avec elle. C'était MAGIQUE !

En sortant, il y avait une foule incroyable. On n'a pas vu Audrey et ses cousines. Par contre, j'ai reconnu au loin deux filles et trois garçons de 6e année (enfin, cinq *anciens* 6e puisque, dans quelques jours, ils entreront au secondaire). Il était minuit passé quand on est arrivées chez Marie-Ève, à Laval.

Le lendemain, on s'est levées à midi. Au milieu de l'après-midi, Stéphanie Poirier et Marie-Ève m'ont reconduite à la maison. De là, elles filaient en direction d'Ottawa. (Marie-Ève passera les derniers jours avant la rentrée chez son père.) Après avoir raconté la soirée d'hier à ma famille, je me suis tout de suite plongée dans mon cahier jaune. Il est déjà 18 h 25. J'ai mal au poignet à force d'écrire. Je descends pour voir ce qu'on va manger comme souper. J'ai faim !

Dimanche 22 août

Ce matin, mes parents et mes sœurs sont partis au parc. Après avoir nourri Cannelle, je lui ai donné quelques Crocolatos. Puis, j'ai déjeuné en feuilletant MON *MégaStar*. Ensuite, j'ai passé un moment sur lola-falbala.com. J'y ai trouvé des photos de ses concerts et notamment celui de Montréal. Dire que j'y étais, il y a deux jours, avec Marie-Ève ! J'ai vérifié si on ne nous voyait pas, elle, sa maman et moi, parmi la foule en délire. Mais non. Peu importe, cette soirée restera un des souvenirs les plus extraordinaires de ma vie. Sur son blogue, par ailleurs, Lola raconte qu'elle file toujours le parfait amour avec Tom Thomas. Tant mieux ! Comme les deux chanteurs sont en tournée (chacun dans des villes différentes), ils s'écrivent des tas de textos chaque jour.

Venant de la cuisine, j'ai entendu un son sourd : « PAF ». Puis, des bruits de sac en plastique qu'on manipulait. Captivée par ma lecture, je n'y ai pas prêté attention. L'autre grand chéri de Lola Falbala (ou plutôt, minuscule chéri…), Chick, son chihuahua, se porte comme un charme, lui aussi. « J'avais un peu peur que la tournée ne perturbe ses habitudes, explique la chanteuse. Mais changer chaque jour d'hôtel n'a pas du tout l'air de le déranger. Un vrai chien de star ! » Au mois de juin, lorsque j'ai appris que Lola Falbala avait désormais un chien, j'étais heureuse pour elle. Mais jamais je ne me serais doutée que quelques semaines plus tard, j'en adopterais un, moi aussi ! Lola jure qu'elle possède le plus adorable des chiens. Sans doute. (Le plus petit, aussi.) Quant à moi, j'ai la plus adorable des chiennes ! J'aime ses yeux fidèles, son poil un peu rêche et ses « pattounes ». Avec des coussinets tièdes, capitonnés et un peu craquelés. Existe-t-il quelque chose de plus mignon, cher journal ? Rien qu'à y penser, mon cœur fond. Mais, au fait, où se trouvait Cannelle ?

Dans la cuisine. Sur le carrelage, la boîte de Crocolatos était éventrée. Cannelle avait vidé le reste ! L'air satisfait, elle se léchait les babines. La gourmande ! Elle avait dû faire

tomber la boîte de la table, avec sa patte. À ce moment-là, maman est arrivée. Je lui ai raconté ce qui était arrivé.
– Pauvre Alice ! s'est-elle exclamée. Je t'en rapporterai une autre la semaine prochaine.

Bon, c'était le moment ou jamais. J'ai appris à moumou que je n'aimais plus ces céréales.
– Ah non ? a-t-elle répondu. Alors, je n'en rachèterai pas.

Excellente nouvelle ! Bye-bye, Crocolatos !

Considérant ma chienne qui s'était couchée dans son panier, bien repue, maman a déclaré :
– J'ai peur qu'elle ait une indigestion.

Heureusement, Cannelle n'a pas été malade, cher journal. Cependant, la digestion des dizaines d'étoiles chocolatées a dû être laborieuse. En effet, elle avait une haleine de vieux mammouth !

Ça pue ! Ça pue !

17 h 28. Cet après-midi, pendant que Zoé faisait sa sieste, papa a fait de même. Dans le hamac, qu'il a monopolisé pendant deux heures. Si j'avais su, j'aurais réfléchi à deux fois avant de lui offrir ce cadeau de fête des Pères (pas le hamac, non, mais le droit de faire une sieste le dimanche). Mais non, je blague, cher journal ! Mon poupou a eu une semaine épuisante, et il a le droit de se reposer. Allongée sur l'herbe, à l'ombre de la haie, j'ai commencé le 4e tome de la série *Passion équitation*, que m'a prêté Marie-Ève, l'autre jour. Il s'intitule *Retour à Cheyenne*. J'ai beau ne pas aimer monter à cheval, les aventures de Kenza et de sa jument Sandy me passionnent. Cannelle est arrivée en

traînant la patte. S'écrasant à mes pieds, elle s'est aussitôt assoupie. Je me suis discrètement éloignée de quelques pas pour échapper à son haleine fétide. Beurk ! Une raison de plus d'être dégoûtée des Crocolatos !

Lundi 23 août

Les vacances tirent à leur fin. Mon cahier jaune aussi. Africa m'a envoyé les photos qu'elle a prises à ma fête. Il y en a une, super, où je me prélasse dans le hamac avec un verre de Citrobulles. Je l'ai imprimée et je viens de la coller sur la couverture de ce tome 5 de mon journal intime. Puis, j'ai choisi et collé trois photos de mon voyage en Europe sur les deux pages que j'avais laissées blanches, le 28 juillet.

Mardi 24 août

Maman m'a envoyé chercher du lait au dépanneur. Monsieur Tony se tenait sur le pas de la porte de son salon de coiffure. Il m'a saluée.

– Bonjour, *signorina.* C'est bientôt la rentrée des classes ?
– Oui, on rentre vendredi.
– Alors, c'est le temps de se faire couper les cheveux ! Je peux te le faire tout de suite, si tu veux.
– Heu, non merci !

Mes cheveux s'étaient quasiment dressés sur ma tête. Il faut dire que la coiffure de l'an dernier que m'avait faite monsieur Tony (coupe hamburger d'après ma sœur) m'avait traumatisée à mort.

– Ce n'est pas grave si tu n'as pas d'argent sur toi, a poursuivi le coiffeur. Ton père n'aura qu'à me payer la prochaine fois qu'il viendra ici.

Pas question que monsieur Tony touche à un seul de mes (rares) cheveux ! Je ne me ferais pas prendre une 2e fois ! Papa trouve ça pratique d'avoir un coiffeur dans notre rue. Je le lui laisse, puisque c'est un barbier.

– Non merci, ai-je répété en m'éloignant rapidement.

Je vais demander à maman qu'elle me prenne un rendez-vous chez Cindy.

16 h 32. Mon r.-v. est pour jeudi, 11 h.

Mercredi 25 août

Ce matin, alors que je m'attaquais au fourbi qui encombrait le tiroir de mon bureau, j'ai retrouvé la carte postale que Karim m'avait envoyée en même temps que sa lettre. Je m'apprêtais à l'ajouter à ma collection quand je me suis ravisée. Cette belle carte postale de la mer passerait d'abord quelque temps sur ma table de chevet. Une autre idée s'est imposée à moi : j'allais enfin répondre à Karim. Même si je m'étais efforcée (pas très fort, en fait) de ne plus penser à lui, ça ne fonctionnait pas. D'ailleurs, le pauvre ne le méritait pas. Il a été mis devant le fait accompli, lui aussi. À l'idée qu'il allait passer sa 6e année à des milliers de kilomètres de l'école des Érables, j'étais encore triste et c'était normal. Cependant, la tempête d'émotions qui m'avait submergée en lisant sa lettre, il y a trois semaines, s'était apaisée. Après avoir extrait le bloc de feuilles blanches du fouillis, j'ai refermé le tiroir. Puis, j'ai commencé à écrire :

Cher Karim,

J'avais tant de choses à lui dire que je ne savais pas très bien par quoi commencer. Par contre, une fois lancée, je n'arrivais plus à m'arrêter. Ma lettre a 4 pages et 1/2 ! J'ai essayé d'expliquer à mon ami (mon amoureux ? mon ex-amoureux ?) ce que j'avais ressenti en apprenant qu'il ne reviendrait plus à Montréal. Je lui ai déclaré combien il me manquait, à moi, et comme on allait tous s'ennuyer de lui en classe. Je lui ai avoué que pendant quelques jours, je lui en avais voulu, mais que maintenant, c'était fini. Et je lui ai raconté mes escapades en Belgique, à Paris, à Covey Hill, et même le concert de Lola Falbala.

Après avoir cacheté mon enveloppe, j'ai demandé à Cannelle :

– On va faire une petite promenade ?

Tout heureuse, ma chienne s'est mise à bondir sur place, exactement comme moi quand je saute sur mon lit. On s'est rendues au bureau de poste. J'espère que Karim me répondra. Et qu'au moins, on restera amis. Et puis, on ne sait jamais… Peut-être qu'un jour il reviendra à Montréal ou que moi j'irai à Beyrouth. On peut toujours rêver, cher journal.

Jeudi 26 août

J'adore mes belles gougounes noires avec la bride brillante ! Je les ai mises pour aller chez Cindy. Elle aussi portait le tee-shirt de Lola Falbala. Il laissait voir son épaule sur laquelle un dragon est tatoué, ainsi que son piercing au nombril. Il y avait une de ces ambiances, là-bas ! Une flûte à champagne à la main, ma coiffeuse, ses deux collègues et leurs clientes trinquaient joyeusement. Francis, le coiffeur, a tendu un verre de mousseux à maman.

– On fête Cindy, aujourd'hui, nous a-t-il expliqué.

Nous avons souhaité un bon anniversaire à notre coiffeuse qui a 25 ans. Elle nous a demandé, à Caro et à moi :

– Et vous, les filles, je vous sers un jus de fruits exotiques ou du Citrobulles ?

C'était la première fois de ma vie que je buvais du Citrobulles dans un si beau verre. Lorsque Cindy a eu terminé de coiffer sa cliente, je me suis installée à mon tour sur le siège.

– Tu as passé de bonnes vacances, Alice ?

– Oui, c'était vraiment cool ! Je serais bien restée encore en congé, mais demain, c'est la rentrée.

– En 6e année ?
– C'est ça !

Puis, Cindy a changé de sujet :
– Je te fais la même coupe que d'habitude ?
– Oui. Enfin…
Après avoir poussé un gros soupir, j'ai ajouté :
– En fait, je rêve d'avoir des cheveux longs… Mais le problème, c'est que quand je les laisse pousser, ils deviennent minables.
– Minables ?! s'est étonnée ma coiffeuse. Qui t'a mis une idée pareille en tête ? Ils sont vraiment super, tes cheveux !
Devant mon air dubitatif, elle a ajouté :
– Non seulement ils sont **épais**, mais en plus, ils ont du **corps**. Si toutes mes clientes avaient une chevelure comme la tienne, Alice, elles seraient ravies, crois-moi.

Cindy parlait-elle vraiment de *mes* cheveux ? N'avait-elle pas bu un peu trop de vin mousseux ?
C'est quand même vrai qu'ils ont l'air (un peu) plus fournis qu'avant. Encouragée par ma coiffeuse (la meilleure

d'Ahuntsic !), j'ai décidé de me les faire pousser. Elle m'a promis de m'aider à atteindre mon objectif : avoir enfin de *beaux cheveux longs*. Évidemment, à la vitesse où ils poussent, ça prendra du temps. Je ne les aurai peut-être pas très longs, mais Cindy m'a certifié que je pouvais sans problème avoir des cheveux qui tombent aux épaules ou même un peu en dessous. Elle me coupera les pointes tous les deux mois, pour garder ma chevelure en bonne santé. Bref, mon estime de soi capillaire est remontée d'un cran, cher journal. J'ai à peu près 63 « tifs » sur la tête, mais ils ont du **CORPS**. YÉÉÉÉÉ ! ! !

12 h 43. Oncle Alex a téléphoné. C'est ce soir qu'il s'envole pour l'Afrique ! Sur ma carte du monde, j'ai planté deux nouvelles punaises rouges : une en plein cœur de la Tanzanie et l'autre au milieu du Kenya.

17 h 50. Hier, papa a téléchargé les nouvelles chansons de Lola Falbala. Cet après-midi, je me suis installée dans le hamac avec mon iPod. Après tout, je suis encore en vacances (jusqu'à demain, 8 h...).

20 h 15. Caroline se préparait à se coucher. Pendant qu'elle plaçait ses cochons en peluche dans son lit, maman est arrivée. D'un ton de reproche, elle s'est exclamée :
– Oh non, Biquette, tu n'as toujours pas rangé ta chambre ? ! Tu m'avais pourtant promis que ce serait fait avant la rentrée...